Le livre de cuisine

pour les garçons qui veulent épater les filles

avec peu de matériel et encore moins d'expérience

Collection *mon grain de sel*
dirigée par Raphaële Vidaling

Cette collection donne la parole à des amateurs passionnés qui ne sont ni des chefs ni des auteurs confirmés. Les livres sont réalisés sans styliste culinaire, et donc sans aucun trucage : les auteurs cuisinent eux-mêmes les plats, les photographies sont réalisées à la lumière naturelle… et ensuite, on mange tout ! Il n'y a donc aucune raison pour que ce que vous voyez là ne ressemble pas à ce que vous serez capable de faire vous-même en suivant la recette.

www.mongraindesel.fr

Le livre de cuisine pour les garçons qui veulent épater les filles

avec peu de matériel et encore moins d'expérience

Textes : Nicole Seeman
Photographies : Raphaële Vidaling

Sommaire

Introduction

- Dans ce livre, vous trouverez... 9
- Le matériel nécessaire pour préparer les recettes 10
- Comment composer le menu 14
- Sélectionner les recettes 15
- Choix des plats par types de filles à épater 16
- En route pour les courses 18
- Où trouver quoi au supermarché ? 19
- Ça y est, vous vous lancez dans la préparation 20
- Maintenant, il faut mettre la table 21
- C'est le jour J, un peu avant l'heure H : quelques tuyaux pour le bon déroulement du repas 22

À lire impérativement avant de commencer, sinon, vous vous transformerez en citrouille à minuit !

Amuse-gueules

- Beurre de roquefort aux raisins secs 28
- Ravioles poêlées 30
- Rouleaux de viande des Grisons aux figues 32
- Minitomates farcies 34
- Rillettes de thon 36

Entrées

- Crumble de tomates au parmesan 42
- Tartes fines au chèvre et aux endives 44
- Fromage de chèvre pané aux noisettes 46

• Asperges sauce fraîcheur 48
• Concombres à la crème 50
• Croustillants de chèvre aux olives 52
• Bruschettas à la tomate 54
• Salade de champignons aux herbes 56
• Tartes fines au bleu et aux poires 58
• Courgettes farcies à la feta et à la menthe 60
• Mille-feuilles de chèvre et concombre aux raisins secs 62
• Salade d'endives, mimolette vieille et figues séchées 64
• Beignets de mozzarella sur roquette 66

Plats

• Escalopes de poulet, sauce au paprika 72
• Coquilles Saint-Jacques au pastis 74
• Bœuf façon Stroganov 76
• Crevettes au lait de coco et au curry 78
• Saumon à l'unilatérale et vinaigrette d'orange 80
• Saumon en papillote au gingembre 82
• Magret de canard, sauce au miel à l'orange 84
• Grillades de porc à l'indonésienne 86
• Filet mignon de porc au roquefort 88
• Filets de sole meunière 90
• Pâtes au citron et au parmesan 92
• Côtes d'agneau au yaourt et à la menthe 94
• Carpaccio de thon 96
• Salade au poulet et au bleu 98
• Pennes au gorgonzola et aux noix 100
• Salade de mâche, pomme et magret fumé 102
• Poulet en croûte de parmesan 104

Garnitures

- La salade et la vinaigrette 110
- Le riz 112
- Les pâtes 114
- Les pommes de terre à l'eau 116
- Champignons de Paris poêlés 118
- Fondue de poireaux 120
- Courgettes confites 122
- Haricots verts croustillants 124

Fromages, desserts et douceurs

- Croustillants de pommes aux raisins et au miel 130
- Clémentines caramélisées, glace vanille 132
- Sablés à la banane et au Nutella 134
- Tartes fines aux pommes 136
- Salade d'oranges 138
- Sablés aux framboises et à la crème 140
- Papillotes aux fraises et à la banane 142
- Crumble de pommes et dattes à la noix de coco 144
- Salade de fraises au miel, au citron et à la menthe 146

Petit déjeuner

- Fromage blanc au miel 155
- Œuf à la coque avec des mouillettes 156

Liste des recettes par rapport au matériel 158

La genèse du livre 160

Introduction

On dit parfois que le plus court chemin vers le cœur d'un homme passe par son estomac, eh bien, c'est peut-être encore plus vrai du cœur d'une femme ! Préparer un dîner pour celle à qui vous souhaitez faire particulièrement bonne impression lui montre que vous êtes généreux, attentionné, créatif, pas macho... Une sorte d'homme idéal, mi-Superman, mi-père Noël. Ça vaut le coup, non ? L'ambiance tranquille d'un dîner en tête à tête, chez vous, il n'y a rien de mieux pour la séduire. Seulement, voilà : vous ne brillez pas spécialement en cuisine, vos connaissances sont incertaines, votre expérience quasi nulle, et vous vous dites que la livraison à domicile ferait quand même bien votre affaire.
Détrompez-vous, le livre que vous êtes en train de lire est votre arme secrète. Le cœur de la femme de vos rêves est désormais à la merci de vos fourneaux.

Dans ce livre, vous trouverez…

- plein de recettes pour 2 personnes :

  - toutes simples et a priori inratables
    (cela dit, personne n'est parfait) ;
  - qui font leur petit effet
    (on voit que vous vous êtes donné du mal) ;
  - qui plaisent aux filles
    (plutôt blancs de volaille que cassoulet) ;
  - choisies en fonction du matériel que vous avez dans votre cuisine
    (pas besoin de mandoline, de cul-de-poule, de robot méga-multifonction) ;
  - avec un mode d'emploi en langage clair
    (tout le monde n'est pas obligé d'être bilingue en « grand chef ») ;
  - sans trop d'ingrédients compliqués
    (ah bon ! Il n'y a pas de topinambours en bas de chez vous ?) ;
  - avec des informations précises pour faire les courses
    (eh non, le lait de coco n'est pas dans les laitages).

- un classement des recettes par types de filles auxquelles elles peuvent plaire ;

- et, en prime, si le dîner se prolonge, quelques conseils pour réussir le petit déjeuner.

Le matériel nécessaire pour préparer les recettes

Cette liste ne comprend que le matériel pour la cuisine. Si vous comptez recevoir quelqu'un à dîner, c'est que vous avez forcément des couverts, des assiettes, des verres… (sinon, il faut vous rabattre sur une pizza livrée dans une boîte en carton, et là, le matériel nécessaire, c'est un téléphone).

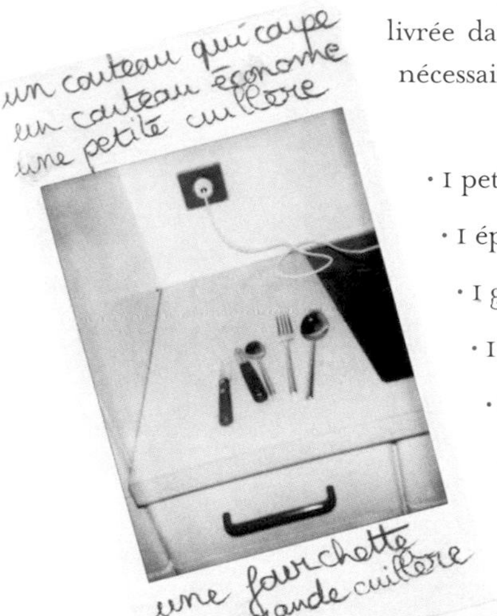

- 1 petit couteau de cuisine affûté
- 1 épluche-légumes
- 1 grande cuillère
- 1 petite cuillère
- 1 fourchette
- 1 verre de la taille d'un petit verre à moutarde pour mesurer (un verre de 20 centilitres, c'est-à-dire un verre qui contient environ 200 grammes de moutarde)

- 1 petit bol (de la taille d'un bol de petit déjeuner) pour faire des mélanges
- 1 saladier

- 1 plaque chauffante (à gaz, électrique, ou autre)
- 1 poêle antiadhésive (style Tefal)
- 1 spatule pour manipuler les aliments qui cuisent sans les abîmer et sans rayer la poêle
- 2 casseroles (à défaut, 1 casserole fera l'affaire)

- 1 four
- 1 plaque ou 1 grille allant au four
- 1 plat pour 2 personnes allant au four
- 1 torchon ou 1 gant pour manipuler le plat

- 1 réfrigérateur (avec un compartiment à glaçons pour les desserts avec de la glace)

Comme vous pouvez le constater, il n'y a là que du matériel assez basique. Bien sûr, vous n'avez pas besoin de tout pour chaque recette. Il y a même des recettes qui ne nécessitent ni plaque chauffante ni four.

« Il manque le micro-ondes ! » vous exclamez-vous à la lecture de cette liste.

« Et en plus, j'en ai un ! » ajoutez-vous, dépité.

Eh bien, c'est un oubli volontaire ! Le micro-ondes, quoi que l'on en dise, sert quand même plus à réchauffer qu'à cuisiner. Surtout, ce n'est pas l'outil de cuisine qui épate les filles. Cela dit, quand vous préparez des garnitures à l'avance (le riz, les pommes de terre...), vous pouvez les réchauffer au dernier moment dans votre micro-ondes plutôt que dans une casserole.

Comment composer le menu

En général, un repas est constitué d'une entrée, d'un plat et d'un dessert, mais vous n'êtes pas obligé de suivre cette règle à la lettre.

- Vous pouvez servir des amuse-gueule pour l'apéritif et ne pas proposer d'entrée.
- Vous pouvez aussi composer un repas avec : plat, salade, fromage et dessert (après tout, l'objectif n'est pas que vous finissiez la soirée gavés comme des oies). Dans ce cas, c'est agréable de servir en même temps la salade et le fromage.
- Comme vous n'êtes que deux, vous pouvez ne proposer qu'un seul fromage. Si vous ne connaissez pas ses goûts et que vous voulez assurer, choisissez-en deux ou trois différents. Par exemple, un chèvre, du comté et un bleu.

Bien sûr, le but, c'est de l'impressionner, mais vous pouvez quand même vous permettre d'acheter une entrée ou un dessert tout faits. Il faut montrer que votre choix est réfléchi, en choisissant, par exemple, une charcuterie authentique du terroir, la spécialité d'un pays étranger, un gâteau chez un bon pâtissier…

Pour leur donner une valeur ajoutée, accompagnez-les d'un petit plus qui assure, par exemple :
- pour la charcuterie, choisissez un pain original (aux noix, aux raisins, aux céréales…) ;
- pour le tarama, les œufs de poisson, le saumon fumé : des blinis (crêpes épaisses toutes faites), des quartiers de citron et de la crème fraîche ;
- pour une tarte aux fruits : une bonne crème fraîche (achetée au détail dans une crémerie).

Sélectionner les recettes

- Tenez compte du temps dont vous allez disposer en tout. Certaines préparations peuvent se faire à l'avance et vous faire gagner du temps le soir même (c'est indiqué dans chaque recette). Il vaut mieux prévoir un peu de marge : vous ne vous sentirez pas très à l'aise si votre invitée sonne et que vous êtes en pleins préparatifs.

- Faites attention au matériel nécessaire. Si vous n'avez qu'une casserole, évitez d'avoir à l'utiliser pour préparer le plat mais aussi sa garniture.

- Sélectionnez des plats qui ne se ressemblent pas trop. Par exemple, ne prévoyez pas une tarte en entrée et une tarte en dessert.

- Choisissez des plats qui correspondent à la saison (en gros, c'est plus sympa de manger chaud l'hiver et froid l'été).

Choix des plats par types de filles à épater

Bon, d'accord, cette liste de filles est un peu caricaturale. C'est juste fait pour vous orienter. À vous de faire preuve d'intuition (mais si, vous en avez !) pour choisir ce qui va la séduire et lui montrer que vous savez deviner ses désirs...

La fille branchée

Les plats dans l'air du temps, originaux et modernes, les mélanges de saveurs audacieux lui démontreront que vous êtes vraiment un type *top trendy*.

Crumble de tomates au parmesan
Saumon à l'unilatérale et vinaigrette d'orange
Croustillants aux pommes, aux raisins et au miel

La fille au régime

Pas, ou peu, de crème, de beurre, etc. : ça lui gâcherait la soirée. Proposez-lui des plats goûteux et légers qu'elle mangera sans complexes.

Salade de champignons aux herbes
Papillotes de saumon au gingembre
Salade d'oranges

La bonne vivante

À table (comme ailleurs), elle recherche avant tout le plaisir, sans restrictions..., alors, pas de censure, pas de mesure : vous allez vous régaler !

Tartes fines au chèvre et aux endives
Filet mignon de porc au roquefort
Sablés à la banane et au Nutella

La fille BCBG

Asperges sauce fraîcheur
Magret de canard, sauce au miel et à l'orange
Tartes fines aux pommes

Sans tomber dans le lièvre à la royale, le homard thermidor ou le poulet aux écrevisses (vous n'êtes pas encore prêt pour ça), vous lui ferez plaisir en choisissant des plats plutôt classiques, traditionnels, des valeurs sûres en quelque sorte.

La fille « *world food* » (un peu baba, un peu bobo)

Courgettes farcies à la feta et à la menthe
Grillades de porc à l'indonésienne
Crumble de pommes et dattes à la noix de coco

À table, il faut l'emmener en voyage. Les spécialités étrangères, les épices chargées d'exotisme sauront la séduire. Les produits « bio » toucheront aussi une corde sensible.

La végétarienne

Salade d'endives, mimolette vieille et figues séchées
Pâtes au citron et au parmesan
Papillotes aux fraises et à la banane

D'office, vous éliminez tout ce qui est viande, volaille, poisson. Bref, tout ce qui a été un animal un jour. Mais faites quand même attention, il existe plusieurs formes de « végétarismes » : le mieux, c'est que vous lui demandiez quelles sont ses restrictions.

Elle respecte des interdits religieux : si elle est juive ou musulmane, ne lui servez pas de porc, sous forme de charcuterie (jambon, lardons, saucisson...) ou de viande, vous éviterez un faux pas. Si vous savez qu'elle est très pratiquante et que vous n'êtes pas au fait des usages, il vaut mieux en discuter avec elle, car là, les règles à respecter sont assez complexes.

En route pour les courses

- Faites une liste de courses pour ne rien oublier.

- Faites les achats la veille ou le matin pour pouvoir rattraper le coup si vous ne trouvez pas tout. Vous pourrez ainsi préparer certaines choses à l'avance.

- Si vous avez du temps, allez chez le boucher, le fromager, le marchand de fruits et légumes, car ils vous aideront à choisir... Mais bon, ce n'est pas toujours possible et on trouve beaucoup de produits de qualité dans les supermarchés.

- Pour le vin, si vous n'y connaissez pas grand-chose, allez chez un caviste, dites-lui combien vous voulez dépenser et quel plat principal vous comptez faire. Il vous conseillera un vin et vous en dira quelques mots que vous pourrez replacer dans la conversation pendant le dîner.

- Pour ce qui est du pain, allez chez un boulanger : il sera meilleur.

Où trouver quoi au supermarché ?

Voici quelques indications pour vous orienter dans les labyrinthes des supermarchés.

- Les fruits, les légumes, les salades et les herbes fraîches (menthe, ciboulette, etc.) sont dans le même rayon.
- Les épices, le sel, le poivre et les herbes séchées sont en général regroupés.
- Pour la volaille, la viande et le poisson, vous les trouverez en morceaux déjà préparés et emballés au rayon « libre-service ». Il y a aussi, parfois, un rayon « à la coupe » où un boucher ou un poissonnier vous prépareront ce dont vous avez besoin.
- Les produits laitiers (beurre, lait, fromage emballé, crème fraîche, yaourts, etc.) sont regroupés au rayon frais. Il peut y avoir aussi un rayon « à la coupe », avec plus de choix pour le fromage.
- Il y a un rayon où vous trouverez la charcuterie emballée (jambons, pâtés, etc.), les pâtes fraîches (raviolis farcis...) et les pâtes en rouleau pour la pâtisserie.
- Il peut y avoir un rayon traiteur, avec, là aussi, quelqu'un qui vous servira la charcuterie...
- Les pâtes sèches, le riz et les sauces sont souvent voisins. À côté, vous trouverez les produits exotiques (sauce soja, lait de coco...).
- Souvent, près de l'endroit où est le sucre se trouve également un rayon d'ingrédients pour la pâtisserie (raisins secs, poudre d'amandes, noix décortiquées, noix de coco râpée, etc.).

Ça y est, vous vous lancez dans la préparation

- Surtout, lisez la recette en entier et gardez-la près de vous, ça vous évitera les surprises en cours de route.

- Sortez, mesurez et préparez tous les ingrédients et les ustensiles nécessaires.

- Si vous n'avez pas d'horloge dans votre cuisine, laissez votre montre à portée de main pour les temps de cuisson.

- Vérifiez toujours la date limite de consommation des ingrédients frais.

- Ayez sous la main du papier absorbant (type Sopalin), du papier d'aluminium et du film alimentaire pour pouvoir essuyer, garder au chaud ou emballer.

- Tous les fours et les cuisinières ne chauffent pas de la même manière. Pendant la cuisson, que ce soit dans une poêle, une casserole ou un four, surveillez régulièrement. Si vous voyez que ça chauffe trop (en gros, que ça sent le brûlé ou que ça noircit), retirez ce qui cuit et baissez la température avant de poursuivre.

Maintenant, il faut mettre la table

- Une jolie table vous fera marquer des points. Ça ne veut pas forcément dire sortir l'argenterie de grand-maman, mais faire attention à soigner les détails. Par exemple, de jolies serviettes en papier ou des bougies (même des petites bougies, style chauffe-plat) créeront une atmosphère festive et romantique.

- Sur la table, mettez du sel, du poivre, de l'eau (en bouteille ou en carafe) et du pain, coupé en morceaux dans une corbeille ou sur une petite assiette.

- Le couteau à droite, la fourchette à gauche et l'assiette au milieu... bon, d'accord, vous le savez déjà ! C'est juste un rappel. Petites précisions : mettez le côté coupant de la lame du couteau vers l'assiette et les pointes de la fourchette vers la table.

- Si possible, deux verres pour chaque couvert, un pour le vin et un pour l'eau.

- Apportez les couverts pour le dessert (cuillère ou couteau et fourchette suivant les cas) au moment où vous allez le servir.

C'est le jour J, un peu avant l'heure H :

quelques tuyaux pour le bon déroulement du repas

- Pour que la soirée se déroule comme vous l'avez rêvée, et que vous évitiez d'abandonner votre invitée toutes les 2 minutes, il va falloir être un peu organisé. Vous pouvez lui proposer de vous tenir compagnie dans la cuisine, mais attention, ça peut vous stresser inutilement.

- Préparez un maximum de choses à l'avance, vous n'aurez plus qu'à assembler les ingrédients et les mettre à cuire.

- Mettez la table avant qu'elle n'arrive, vous serez plus tranquille pour profiter de l'apéritif.

- Si vous avez prévu du fromage, sortez-le du réfrigérateur avant le début du repas, car il a moins de goût quand il est très froid.

- Si votre plat principal nécessite plus de 15 minutes pour cuire, mettez-le en route au moment où vous servez l'entrée. Sinon, attendez la fin de l'entrée, car un bon repas n'a rien d'une course.

- À table, c'est vous qui servez le vin. Pour l'eau, chacun peut se servir.

- Changez les assiettes entre l'entrée et le plat, et pour le dessert. Vous pouvez garder les assiettes qui ont servi au plat pour la salade et le fromage, sauf si vous avez mangé du poisson ou des fruits de mer.

- Comme vous n'êtes que deux, vous pouvez garnir les assiettes en cuisine, avant de les porter à table. Ça vous évitera d'utiliser des plats de service.

Amuse-gueules

Témoignages

Marie a joué à essayer de deviner ce que j'avais mis dans la recette, elle a perdu ! (Son gage a été notre premier baiser.) **Christophe, 39 ans, chauffagiste**

Sabine, elle s'attendait à un plan chips, cacahuètes… Franchement, j'ai marqué des points d'entrée ! **Thomas, 47 ans, avocat**

Avec les rouleaux à la viande des Grisons, Laurence, c'est dès le début du repas que je me la suis mise dans la poche. **Julien, 22 ans, chef de rayon**

Valérie, quand
je lui ai annoncé des
rillettes, a poussé un cri :
« Ah non, je fais attention à ma
ligne ! ». Je m'en doutais un
peu, mais mes rillettes de thon,
elle les a dévorées. **Antoine,
30 ans, professeur
de français**

C'était chaud,
croustillant… comme
l'ambiance que j'ai voulu
créer pour Caroline.
**Lionel, 35 ans,
publicitaire**

Beurre de roquefort aux raisins secs

Le roquefort mélangé avec le beurre a un goût plus doux et les raisins apportent une touche sucrée originale.

Le temps que ça prendra

10 minutes

Le matériel nécessaire

- 1 bol
- 1 fourchette
- 1 couteau à tartiner

En option :

- 1 grande cuillère

La liste des courses

- 50 grammes de **roquefort** (à estimer par rapport au poids du morceau acheté)
- 50 grammes de **beurre** (soit un cinquième d'une plaquette de 250 grammes)
- 1 **baguette** pour tartiner la préparation
- 2 poignées de **raisins secs**

En option :

- 2 grandes cuillerées de porto

Le mode d'emploi

Mettre le beurre et le roquefort (avec le porto, si l'on a décidé d'en mettre) dans le bol et les écraser avec la fourchette, de façon à obtenir un mélange assez homogène. Au moment de servir, tartiner ce mélange sur des tranches de baguette et poser dessus les raisins secs.

Ce qui peut se préparer à l'avance

Le beurre de roquefort peut se préparer 2 jours à l'avance. Le conserver au réfrigérateur, dans du papier d'aluminium ou du film alimentaire.

Ravioles poêlées

Une manière originale de servir les ravioles à l'apéritif.

Le temps que ça prendra

10 minutes

Le matériel nécessaire

- 1 assiette
- 1 plaque chauffante
- 1 poêle antiadhésive
- 1 grande cuillère
- 1 fourchette
- 1 plat ou 1 bol
- 2 feuilles de papier absorbant

La liste des courses

- 2 plaques de **ravioles** (ce sont des petits raviolis farcis au fromage qui se trouvent sous forme de plaques au supermarché, avec les pâtes fraîches, ou chez le fromager), que l'on peut acheter surgelées (il faut compter 2 poignées de ravioles)
- 2 grandes cuillerées d'**huile**

Le mode d'emploi

Sur une assiette, poser les feuilles de papier absorbant. Si les ravioles sont en plaques, les déchirer délicatement le long des marques, de façon à les séparer. Faire chauffer la poêle à feu vif. Quand elle est chaude, y verser l'huile. Pour vérifier si la poêle est chaude, passer la main au-dessus (sans la toucher, bien sûr) ou y verser 1 goutte d'eau : elle doit fumer et s'évaporer très vite. Quand l'huile est bien chaude (c'est très rapide, environ 30 secondes), y poser les ravioles. Les cuire environ 2 minutes par côté, jusqu'à ce qu'elles soient bien dorées. Pour les retourner, utiliser la grande cuillère et la fourchette. C'est un peu fastidieux, car il faut les retourner une par une. Étaler les ravioles chaudes sur du papier absorbant pour enlever le surplus d'huile. Les poser sur un plat et les servir immédiatement, avec des fourchettes ou des petites cuillères.

Rouleaux de viande des Grisons aux figues

Des amuse-gueules simples à préparer et délicieux.

Le temps que ça prendra

10 minutes

Le matériel nécessaire

- 1 couteau affûté
- 1 couteau à tartiner

La liste des courses

- 6 tranches de **viande des Grisons** (c'est de la viande de bœuf séchée que l'on trouve, sous vide, au rayon charcuterie du supermarché ou dans une charcuterie)
- 3 **figues séchées** (ou 1 poignée de raisins secs)
- 75 grammes de **fromage** frais (type Saint-Moret) ou de fromage fondu (type Kiri)

Le mode d'emploi

Ôter le pédoncule des figues, puis les couper en tranches (si ce sont des raisins secs, les laisser tels quels). Couper chaque tranche de viande des Grisons en deux dans le sens de largeur. Tartiner chaque moitié avec du fromage frais ou du fromage fondu, poser dessus 1 tranche de figue ou quelques raisins, et rouler le tout pour former des petites « cigarettes ».

Ce qui peut se préparer à l'avance

Les rouleaux peuvent se préparer la veille. Les garder au réfrigérateur, sur une assiette couverte de film alimentaire.

Mini-tomates farcies

Des amuse-gueules tous frais et jolis mais qui demandent de la délicatesse dans la manipulation. Il vaut mieux les préparer un jour où vous êtes détendu.

Le temps que ça prendra

15 minutes

Le matériel nécessaire

- 1 petit couteau qui coupe bien
- 1 petite cuillère
- 1 assiette
- 1 bol
- 1 presse-agrumes

La liste des courses

- 12 **tomates cerises** (ce sont de toutes petites tomates qui ont beaucoup de goût)
- 1/2 **citron** + 50 grammes de **tarama** (c'est une entrée grecque à base d'œufs de cabillaud fumés)
- ou 50 grammes de **fromage** frais (type Saint-Moret) ou de fromage fondu (type Kiri)
- ou 50 grammes de **tapenade** (c'est une pâte d'olives)

Le mode d'emploi

Couper le haut des tomates du côté de l'attache du pédoncule. Avec le couteau et la petite cuillère, vider délicatement l'intérieur (enlever le jus et les graines), en faisant attention à ne pas abîmer les tomates. Les poser à l'envers sur une assiette pour les égoutter. Presser le demi-citron pour obtenir l'équivalent de 2 grandes cuillerées de jus et le verser dans le bol. À défaut de presse-agrumes, le presser à la main. Retirer les pépins, s'il y en a. Dans le bol, mélanger le tarama avec le jus de citron. Remplir chaque tomate évidée avec le tarama au citron. Pour les autres garnitures (fromage ou tapenade), procéder de la même manière, sans utiliser de jus de citron.

Rillettes de thon

Cette recette peut se servir soit à l'apéritif, soit comme une entrée.

Le temps que ça prendra

10 minutes

Le matériel nécessaire

- du papier absorbant (type Sopalin)
- 1 petit couteau
- 1 fourchette
- 1 bol

En option :

- 1 presse-agrumes
- 1 paire de ciseaux pour couper les herbes
- 1 grille-pain

La liste des courses

- 1 petite **boîte de thon** d'environ 140 grammes (soit 100 grammes de thon une fois égoutté). Prendre une boîte de thon avec une tirette qui permet de l'ouvrir sans ouvre-boîte. Choisir du thon au naturel pour une version plus légère, du thon à l'huile pour une version plus moelleuse
- environ 75 grammes de **fromage** frais (1/2 Chavroux) ou de fromage fondu (environ 4 Kiri) ; pour une version light de cette recette, prendre du fromage blanc à 0 % de matières grasses
- du pain, style pain de campagne, en tranches (ou, plus original, aux olives)
- 20 brins de **ciboulette** (ou 5 feuilles de menthe, ou 20 feuilles de coriandre, ou 20 feuilles de cerfeuil) ; ces herbes donneront un goût frais et un bel aspect aux rillettes
- 1/2 **citron**

Le mode d'emploi

Laver et éponger les herbes avec du papier absorbant. Les couper en lanières d'environ 3 millimètres avec le couteau ou les ciseaux. Égoutter le thon en ouvrant légèrement la boîte et en laissant couler le liquide dans l'évier. Presser le demi-citron et verser le jus dans le bol. À défaut de presse-agrumes, le presser à la main. Retirer les pépins, s'il y en a. Mettre l'ensemble des ingrédients dans le bol (sauf

1 grande cuillerée d'herbes coupées) et mélanger en écrasant à la fourchette jusqu'à ce que le mélange soit homogène. Répartir les herbes mises de côté sur les rillettes : ça fera joli. Si vous avez un grille-pain, y faire dorer les tranches de pain.

Ce qui peut se préparer à l'avance

Les rillettes peuvent se préparer 2 jours à l'avance. Les conserver au réfrigérateur, dans un bol recouvert de papier d'aluminium ou de film alimentaire.

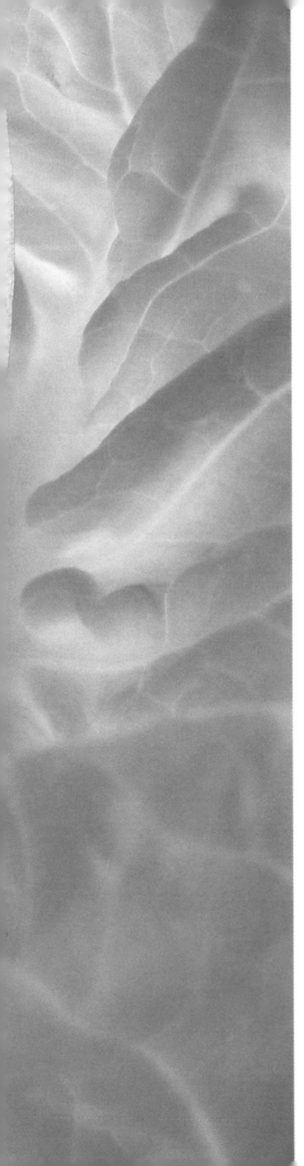

Entrées

Témoignages

Mamma mia,
la couisine à l'italienne,
c'est le souccès garanti avec
les femmes ! Demandez
à Éléonore… **Paolo,
25 ans, metteur en
scène**

Mélanie, elle n'a
pas voulu croire que
c'était moi qui l'avais fait.
Il a fallu que je lui récite
la recette par cœur pour
la convaincre. **Félix,
18 ans et demi,
étudiant**

Géraldine,
à part réchauffer
des surgelés, la cuisine,
elle n'y connaît vraiment
rien. Je suis devenu son
héros. **Nicolas, 27 ans,
contrôleur de
gestion**

« Chez toi, c'est encore mieux qu'au restaurant, tu es vraiment plein de surprises ! » Et ce n'est pas le dernier compliment que Myriam m'ait fait ce soir-là.
Michel, 41 ans, écrivain

Angela est à moitié anglaise, alors le crumble, elle croyait connaître. Là, j'ai vraiment réussi à la bluffer.
Emmanuel, 28 ans, informaticien

Salé-sucré, c'est un peu le caractère de Nathalie. Mon plat lui a tellement plu que, ce soir-là, elle a été tout miel…
Henri, 32 ans, commerçant

Crumble de tomates au parmesan

Pour changer du crumble aux pommes, goûtez cette version à la tomate.

Le temps que ça prendra

20 minutes de préparation
+ 25 minutes de cuisson

Le matériel nécessaire

- 1 four
- 1 petit couteau qui coupe bien
- 1 plat allant au four (pour 2 personnes)
- 1 petite cuillère
- 1 grande cuillère
- 1 verre de la taille d'un verre à moutarde
- 1 bol pour préparer la pâte

La liste des courses

- 4 **tomates**
- 1/2 verre à moutarde de **parmesan** râpé (ça fait environ 50 grammes)
- 5 ou 6 feuilles de **basilic** (en option)
- 1 petite cuillerée d'**huile**
- 2 grandes cuillerées de **vinaigre balsamique** (c'est un vinaigre très doux que l'on trouve au rayon huiles et vinaigres du supermarché)
- 50 grammes de **beurre**
- 1/2 verre à moutarde de **farine**
- 1 petite cuillerée de **sel**

Le mode d'emploi

Mettre le four à chauffer à 180 degrés (thermostat 6). Il faut compter 20 minutes pour qu'un four électrique soit chaud et 10 minutes pour un four à gaz (certains fours ont un voyant qui l'indique). Rincer et sécher les tomates. Les couper en quatre, puis recouper chaque quartier en deux, et retirer les pépins avec le couteau ou une cuillère. Couper chaque tranche de tomate en quatre pour obtenir des petits dés. Étaler l'huile au fond du plat qui va aller dans le four. Poser les morceaux de tomate dans le plat. Les saler et verser le vinaigre balsamique dessus. Mélanger. Si vous en avez, laver et sécher les feuilles de basilic (sauf 2, que vous garderez pour la décoration), les couper en lanières et les répartir sur les tomates.

Si le plat est un peu grand par rapport à la quantité de tomates, les regrouper d'un côté du plat et laisser une partie vide. Couper le beurre en petits morceaux. Dans le bol, mettre le beurre, la farine et le parmesan. Malaxer avec les doigts, en écrasant bien les morceaux de beurre, jusqu'à ce que la farine et le parmesan soient bien absorbés. Le résultat doit être assez granuleux. Répartir ce mélange sur les tomates pour former une croûte. Mettre le plat au four et laisser cuire environ 25 minutes. Au bout de ce temps, la croûte doit être bien dorée. Jeter un coup d'œil dans le four de temps en temps pour vérifier que ça ne brunit pas trop. Si c'est le cas, baisser la température à 150 degrés (thermostat 5) et poursuivre la cuisson. Si, au contraire, le dessus n'est toujours pas doré au bout de 20 minutes, augmenter la température à 210 degrés (thermostat 7). Quand c'est prêt, sortir le plat du four avec un torchon ou un gant protecteur. Laisser refroidir 5 minutes, puis poser dessus 1 feuille de basilic.

Ce qui peut se préparer à l'avance

La veille, on peut préparer les tomates en morceaux (sans les assaisonner) et le mélange beurre-farine-parmesan. Les conserver séparément au réfrigérateur, dans du papier d'aluminium ou du film alimentaire.

Tartes fines au chèvre et aux endives

C'est une entrée assez copieuse. L'amertume des endives est adoucie par l'ajout du miel.

Le temps que ça prendra

10 minutes de préparation
+ 20 minutes de cuisson à la poêle
+ 12 à 15 minutes de cuisson au four

Le matériel nécessaire

- 1 four
- 1 couteau
- 1 plaque chauffante
- 1 poêle antiadhésive ou 1 casserole
- 1 spatule
- 1 petit bol
- 1 fourchette
- 1 petite cuillère

La liste des courses

- 1 rouleau de **pâte feuilletée** prête à l'emploi (c'est très pratique : la pâte, déjà étalée, est emballée dans un papier qui servira de support pour la cuisson)
- 4 **endives**
- 2 crottins de **Chavignol** (ou une autre sorte de fromage de chèvre ; il en faut environ 120 grammes)
- 1 noix de **beurre**
- 1 petite cuillerée de **miel** (ou 1 petite cuillerée de sucre en poudre)
- 1 pincée de **sel**

Le mode d'emploi

Sortir le rouleau de pâte feuilletée pour qu'elle ramollisse et soit plus facile à étaler. Sortir du four la plaque ou la grille sur laquelle seront posées les tartes pour la cuisson. Mettre le four à chauffer à 200 degrés (thermostat 7). Il faut compter 20 minutes pour qu'un four électrique soit chaud et 10 minutes pour un four à gaz (certains fours ont un voyant qui l'indique). Couper la base des endives sur environ 3 centimètres et retirer les feuilles extérieures si elles sont abîmées (il n'est pas nécessaire de laver les endives). Les couper ensuite en tranches de

2 centimètres. Faire chauffer le beurre dans la poêle ou la casserole, à feu doux. Quand il est fondu, ajouter les feuilles d'endive, le sel et le miel. Faire cuire 20 minutes en remuant de temps en temps, jusqu'à ce que les endives soient bien transparentes et ramollies. Elles vont perdre de l'eau et réduire en cours de cuisson.

Couper les crottins en tranches d'environ 3 millimètres. Dérouler la pâte. Poser le petit bol à l'envers sur la pâte, très près du bord, et appuyer fortement pour en détacher un cercle. S'il ne se détache pas entièrement, le faire avec le couteau, en faisant attention de ne pas déchirer le papier. Renouveler cette opération pour la seconde tarte. Retirer la pâte en trop et laisser les 2 cercles de pâte sur le papier. Étaler la moitié des feuilles d'endives cuites sur chaque cercle de pâte, de façon à les recouvrir. Ensuite, poser dessus les tranches de fromage. Quand le four a atteint la bonne température, poser les tartes, avec le papier, sur la plaque ou la grille et la mettre dans le four. Laisser cuire de 12 à 15 minutes. Si la pâte commence à noircir, baisser la température du four à 180 degrés (thermostat 6). C'est prêt quand le fromage de chèvre est bien fondu et doré. Sortir les tartes du four et les faire glisser sur les assiettes avec la fourchette. C'est prêt.

Ce qui peut se préparer à l'avance

Les endives peuvent être cuites la veille. Les conserver au réfrigérateur, dans un bol recouvert de papier d'aluminium ou de film alimentaire.

Fromage de chèvre pané aux noisettes

Une version plus originale du classique « chèvre chaud sur salade ».

Le temps que ça prendra

15 minutes + 5 minutes de cuisson

Le matériel nécessaire

- 1 assiette
- 1 petit bol
- 1 fourchette
- 1 saladier
- 1 plaque chauffante
- 1 poêle antiadhésive
- 1 spatule
- 1 grande cuillère
- 1 petit couteau qui coupe bien

En option :

- 1 bouteille
- du papier absorbant (type Sopalin)

La liste des courses

- 2 crottins de **Chavignol** (un peu secs)
- 8 grandes cuillerées de **noisette en poudre** (on en trouve en sachets au rayon des ingrédients pour la pâtisserie du supermarché) ou 8 grandes cuillerées de chapelure (on peut l'acheter déjà prête à l'emploi) ou 4 biscottes
- 1 **œuf**
- 2 poignées de **salade** (on peut l'acheter toute prête en sachet)
- 5 grandes cuillerées d'**huile** (2 pour cuire les crottins de Chavignol et 3 pour la salade)
- 1 grande cuillerée de **vinaigre**

En option :

- 2 **noisettes** décortiquées, pour décorer

Le mode d'emploi

Verser la poudre de noisettes ou la chapelure sur l'assiette. On utilise des biscottes, les écraser pour en faire une poudre assez fine. Le plus simple, c'est d'utiliser une bouteille pour le faire. Casser l'œuf dans le petit bol et le battre à la fourchette, pour mélanger le blanc et le jaune. Couper les crottins de Chavignol en deux à l'horizontale, pour avoir 4 moitiés rondes. Laver et sécher la salade, sauf si elle est toute prête, en sachet. La mettre dans le saladier. Verser dessus 3 grandes cuillerées d'huile. Bien mélanger, pour que les feuilles en soient enduites, puis verser le vinaigre et mélanger à nouveau. Sortir les assiettes et mettre la moitié de la salade sur chacune d'elles. Avec les doigts, tremper chaque demi-crottin dans l'œuf battu, en faisant attention à ce qu'ils soient bien enrobés, puis les passer dans la poudre de noisettes (ou la chapelure, ou les biscottes écrasées), en les tournant sur tous les côtés pour qu'il y en ait bien partout. Faire chauffer la poêle à feu moyen. Quand elle est chaude, y verser l'huile. Pour vérifier si la poêle est chaude, passer la main au-dessus (sans la toucher, bien sûr) ou y verser 1 goutte d'eau : elle doit fumer et s'évaporer assez vite. Quand l'huile est chaude (c'est très rapide, environ 30 secondes), y poser les demi-crottins. Les faire cuire environ 2 minutes sur chaque face, jusqu'à ce qu'ils soient bien dorés. Les retourner délicatement avec la spatule, avec l'aide, si nécessaire, d'une grande cuillère. Poser 2 demi-crottins panés sur chaque assiette contenant la salade, saupoudrer d'un peu de poudre de noisettes restante et, éventuellement, décorer avec 1 noisette.

Asperges sauce fraîcheur

La saison des asperges va d'avril à juin. Cette sauce change un peu de la vinaigrette.

Le temps que ça prendra

15 minutes de préparation
+ 15 à 25 minutes de cuisson

Le matériel nécessaire

- 1 plaque chauffante
- 1 grande casserole
- 1 couteau
- 1 grande cuillère
- 1 petite cuillère
- 1 épluche-légumes
- 1 plat ou 1 assiette
- 1 petit bol
- 2 fourchettes
- des feuilles de papier absorbant (type Sopalin) ou 1 torchon propre

En option :

- 1 four à micro-ondes

La liste des courses

- des a**sperges blanches** : environ 8 asperges si elles sont très grosses (d'un diamètre de plus de 2 centimètres), ou 12 si elles sont fines (d'un diamètre de moins de 1 centimètre), et, bien sûr, 10 si elles sont entre les deux (au poids, compter entre 500 et 600 grammes)
- 3 grandes cuillerées de **crème fraîche** épaisse
- 2 petites cuillerées de **moutarde** (pour apporter un petit plus, utiliser de la moutarde à l'ancienne : les grains font joli dans la sauce)
- 1/2 petite cuillerée de **paprika** (c'est une épice rouge en poudre, vendue en flacon) ou du piment doux
- **sel**

Le mode d'emploi

Mettre de l'eau à bouillir dans la casserole avec 1 grande cuillerée de sel. Couper 1 centimètre au bout de la tige des asperges. Les peler avec l'épluche-légumes, en commençant juste en dessous de la pointe (l'extrémité tendre et pointue de l'asperge) et en continuant vers le bas. Faire bien attention à ne pas abîmer la pointe. Quand l'eau bout à gros bouillons, y plonger les asperges. Les laisser cuire de 15 à 25 minutes, suivant leur grosseur. Pendant ce temps, mélanger la crème, la moutarde et 1/2 petite cuillerée de sel dans le bol. Sortir une assiette et poser dessus le torchon ou 3 feuilles de papier absorbant. Pour vérifier si les asperges sont cuites, piquer leur tige avec la pointe du couteau : elle doit pénétrer facilement. Les sortir délicatement de la casserole avec 2 fourchettes et les poser sur le plat. Attendre 5 minutes, pour qu'elles s'égouttent et refroidissent un peu, avant de les servir. Poser la moitié des asperges sur chaque assiette, mettre la moitié de la sauce à côté et saupoudrer de paprika. C'est joli de bien aligner les asperges.

Ce qui peut se préparer à l'avance

La sauce peut se préparer la veille. Le soir même, avant l'arrivée de l'invitée, on peut faire cuire les asperges et les mettre à égoutter sur des feuilles de papier absorbant. Elles peuvent se manger tièdes ou froides. Pour les tiédir, l'idéal est de les réchauffer quelques instants dans un four à micro-ondes.

Concombres à la crème

On trouve de bons concombres au printemps et pendant l'été. Cette entrée, très simple à réaliser, est fraîche et légère.

Le temps que ça prendra

10 minutes

Le matériel nécessaire

- 1 couteau
- 1 torchon propre ou du papier absorbant (type Sopalin)
- 1 épluche-légumes
- 1 grande cuillère
- 1 petite cuillère
- 1 saladier

En option :

- 1 paire de ciseaux

La liste des courses

- 1/2 **concombre**
- 2 grandes cuillerées de **crème fraîche** épaisse
- 20 brins de **ciboulette** ou 8 feuilles de menthe ou 12 feuilles de coriandre ou 12 feuilles de cerfeuil
- 1/2 petite cuillerée de **sel**

Le mode d'emploi

Laver et essuyer les herbes. Les couper en lanières fines avec le couteau ou des ciseaux. Peler le concombre avec l'épluche-légumes. Le couper en tranches d'environ 2 millimètres d'épaisseur. Mettre l'ensemble des ingrédients dans le saladier et mélanger.

Croustillants de chèvre aux olives

Les feuilles de brick et les olives donnent à cette entrée un air méditerranéen.

Le temps que ça prendra

15 minutes de préparation
+ 6 minutes de cuisson

Le matériel nécessaire

- 1 couteau
- 2 assiettes
- 1 saladier
- 1 grande cuillère
- 1 plaque chauffante
- 1 poêle antiadhésive
- 1 spatule

La liste des courses

- 2 **feuilles de brick** (ce sont de très fines feuilles de pâte que l'on trouve dans le même rayon que les pâtes toutes prêtes pour la pâtisserie, ou dans les épiceries orientales ; elles sont vendues par paquet de 10, mais se gardent assez longtemps)
- 2 crottins de **Chavignol** (ou une autre sorte de fromage de chèvre ; il en faut environ 120 grammes)
- 1 dizaine d'**olives** dénoyautées (vertes ou noires)
- 2 poignées de **salade** (on peut l'acheter toute prête en sachet)
- 5 grandes cuillerées d'**huile** (2 pour cuire les croustillants et 3 pour la salade)
- 1 grande cuillerée de **vinaigre**

Le mode d'emploi

Couper les olives en deux. Couper chaque crottin à l'horizontale en 4 tranches. Sortir les feuilles de brick de leur emballage. Elles sont séparées par des feuilles de papier, pour éviter qu'elles ne se collent entre elles. En décoller une, très délicatement, car elles sont fragiles. La poser sur une assiette. Déposer au milieu de la feuille chaque crottin coupé en quatre et la moitié des olives. Replier les bords de la feuille de façon à former une sorte de portefeuille carré. Répéter l'opération

avec la seconde feuille de brick. Laver et sécher la salade, sauf si elle est toute prête en sachet. La mettre dans le saladier. Verser dessus 3 grandes cuillerées d'huile. Bien mélanger, pour que les feuilles en soient enrobées, puis verser le vinaigre et mélanger à nouveau. Sortir les assiettes et mettre la moitié de la salade sur chacune d'elles. Faire chauffer le reste d'huile dans la poêle, à feu moyen, et y poser délicatement les 2 « portefeuilles » sur la face où la pâte est repliée. Laisser cuire de 2 à 3 minutes. La pâte va devenir croustillante et dorée. Retourner doucement les « portefeuilles » avec la spatule et les laisser cuire encore 2 minutes. Si l'huile chauffe trop et que les feuilles de brick noircissent, baisser le feu. Couper chaque croustillant en deux, de façon à former des triangles, et les poser sur la salade. C'est prêt à servir.

Bruschettas à la tomate

Une entrée à l'italienne, à réaliser plutôt en été, quand les tomates ont du goût.

Le temps que ça prendra

20 minutes

Le matériel nécessaire

- 1 couteau affûté
- 1 grande cuillère
- 1 bol
- 1 grille-pain ou 1 four
- 1 torchon propre ou du papier absorbant (type Sopalin)

La liste des courses

- 2 **tomates** bien mûres
- 4 grandes cuillerées d'**huile d'olive**
- 1/2 gousse d'**ail**
- 12 feuilles de **basilic** frais (sinon, utiliser du basilic surgelé déjà coupé ; il en faut environ 3 grandes cuillerées)
- 2 grandes ou 4 petites tranches de **pain de campagne**
- **sel** et **poivre**

Le mode d'emploi

Rincer les tomates à l'eau froide puis les sécher avec un torchon ou du papier absorbant. Les couper en quatre puis recouper chaque quartier en deux et retirer les pépins avec le couteau ou une cuillère. Couper chaque tranche de tomate en quatre ou en cinq, pour obtenir des petits dés. Les mettre dans le bol. Laver et sécher les feuilles de basilic (sauf 2 ou 4, qui serviront pour la décoration). Les couper en lanières fines et les répartir sur les tomates. Verser dessus 2 grandes cuillerées d'huile et mélanger. Peler la demi-gousse d'ail (retirer la peau sèche). Faire griller les tranches de pain au grille-pain ou sur une plaque, sous le gril du four (dans ce cas, les retourner pour les griller des 2 côtés). Quand les tranches de pain sont bien dorées, les frotter d'un côté avec l'ail, puis verser le reste d'huile dessus. Poser le pain dans les assiettes et répartir les dés de tomate dessus. Saler et poivrer.

Salade de champignons aux herbes

Une entrée légère et très savoureuse, grâce au mélange des herbes et au comté.

Le temps que ça prendra

15 minutes

Le matériel nécessaire

- 1 couteau
- 1 épluche-légumes
- 1 grande cuillère
- 1 bol
- 1 verre à moutarde
- 1 torchon propre ou du papier absorbant (type Sopalin)

En option :

- 1 paire de ciseaux pour couper les herbes

La liste des courses

- 100 grammes de **champignons de Paris** (ce sont les champignons que l'on trouve le plus facilement toute l'année) ; s'ils sont en barquette, estimer le poids par rapport au poids total de celle-ci
- 8 brins de **ciboulette**
- 5 feuilles de **basilic**
- 5 feuilles de **menthe**
- 1/2 verre à moutarde de **comté** ou d'emmental (environ 40 à 50 grammes)
- 4 grandes cuillerées d'**huile** (d'olive, de noix ou ordinaire)
- 1 grande cuillerée de **vinaigre** (balsamique, de xérès ou ordinaire)
- **sel** et **poivre**

Le mode d'emploi

Laver et essuyer les herbes (si on ne trouve pas toutes ces herbes, utiliser du cerfeuil, du persil, de la coriandre ou de l'estragon : ce qui est important, c'est d'en mélanger plusieurs). En garder quelques-unes entières, pour la décoration. Couper les autres en lanières fines avec le couteau ou des ciseaux. Rincer rapidement les champignons à l'eau froide, pour enlever les saletés, sans les laisser s'imbiber d'eau. Les essuyer tout de suite. Couper le bout du pied des champignons, puis les couper en tranches d'environ 2 millimètres, verticalement, du chapeau vers le

bas. Râper le fromage avec l'épluche-légumes, pour en faire des copeaux. Verser l'huile et le vinaigre dans le bol, puis mélanger. Ajouter les champignons, les herbes et le fromage. Mélanger à nouveau. Saler et poivrer. Décorer avec les herbes restantes. C'est prêt.

Ce qui peut se préparer à l'avance

Cette salade peut se préparer le soir même, avant l'arrivée de l'invitée.

Tartes fines au bleu et aux poires

Le goût sucré de la poire s'accorde vraiment bien avec le goût salé du bleu.

Le temps que ça prendra

20 minutes de préparation
+ 15 minutes de cuisson

Le matériel nécessaire

- 1 four
- 1 couteau
- 1 épluche-légumes
- 1 petit bol
- 1 grande cuillère
- 1 fourchette
- 1 presse-agrumes

La liste des courses

- 1 rouleau de **pâte feuilletée** prête à l'emploi (c'est très pratique : la pâte, déjà étalée, est emballée dans un papier qui servira de support pour la cuisson)
- 1/2 **poire**
- 1/2 **citron**
- environ 100 grammes de **fromage bleu** (fourme d'Ambert ou bleu d'Auvergne, par exemple) ; estimer la quantité par rapport à celle qui est indiquée sur l'emballage)

Le mode d'emploi

Sortir le rouleau de pâte feuilletée pour qu'elle ramollisse et soit plus facile à étaler. Sortir du four la plaque ou la grille sur laquelle seront posées les tartes pour la cuisson. Mettre le four à chauffer à 200 degrés (thermostat 7). Il faut compter 20 minutes pour qu'un four électrique soit chaud et 10 minutes pour un four à gaz (certains fours ont un voyant qui l'indique). Couper la demi-poire en 2 quartiers. Prélever 1 lamelle de poire sur chaque quartier avec l'épluche-légumes (elle servira pour la décoration), puis les peler et retirer le cœur. Les couper en tranches fines. Presser le demi-citron et verser le jus dans le bol. Verser l'équivalent de 1 grande cuillerée de jus sur les tranches de poire pour éviter qu'elles ne s'oxydent à l'air. Couper le fromage en lamelles d'environ 3 millimètres. Dérouler la pâte. Poser le petit bol, lavé et essuyé, à l'envers sur la pâte, très près du bord, et appuyer fortement pour en détacher un disque. S'il ne se détache pas entièrement, le faire avec le couteau, en faisant attention de ne pas déchirer le papier. Répéter cette opération pour la seconde tarte. Enlever la pâte en trop et laisser les 2 disques de pâte sur le papier qui a servi à l'emballer. Quand le four a atteint la bonne température, poser les disques de pâte, avec le papier, sur la plaque ou la grille et la mettre dans le four. Laisser cuire 5 minutes, puis sortir la plaque ou la grille du four et la poser sur une surface ou un dessous-de-plat résistant à la chaleur. Si la pâte feuilletée a gonflé, appuyer dessus doucement pour l'aplatir. Poser les tranches de poire sur les cercles de pâte et remettre au four 5 minutes. Au bout de ce temps, sortir la plaque ou la grille du four et poser les lamelles de fromage sur les tranches de poire. Remettre encore au four 5 minutes. Le fromage doit être bien fondu. Sortir les tartes du four en les faisant glisser sur les assiettes avec la fourchette. Décorer avec les lamelles de poire mises de côté.

Ce qui peut se préparer à l'avance

Le soir même, avant l'arrivée de l'invitée, faire cuire la pâte, d'abord sans rien, puis avec les poires. Il n'y aura plus qu'à ajouter le fromage et à faire cuire 5 minutes.

Courgettes farcies à la feta et à la menthe

Une entrée aux parfums de la Grèce. En doublant les quantités, elle peut faire un plat principal végétarien.

Le temps que ça prendra

25 minutes de préparation
+ 30 minutes de cuisson

Le matériel nécessaire

- 1 plat allant au four (ou 1 plaque ou 1 grille allant au four + du papier d'aluminium)
- 1 four
- 1 torchon propre ou du papier absorbant (type Sopalin)
- 1 couteau
- 1 petite cuillère
- 1 grande cuillère
- 1 petit bol
- 1 fourchette

En option :
- 1 paire de ciseaux pour couper les herbes

La liste des courses

- 1 **courgette**
- 6 feuilles de **menthe**
- 100 grammes de **feta** (c'est un fromage de brebis d'origine grecque, généralement vendu par plaques de 200 grammes)
- 2 grandes cuillerées d'**huile d'olive**

Le mode d'emploi

Sortir le plat allant au four (ou la plaque, ou la grille sur laquelle seront posées les demi-courgettes pour la cuisson). Mettre le four à chauffer à 180 degrés (thermostat 6). Il faut compter 20 minutes pour qu'un four électrique soit chaud et 10 minutes pour un four à gaz (certains fours ont un voyant qui l'indique). Laver et sécher la courgette avec un torchon. La couper en deux dans le sens de la longueur. Creuser délicatement chaque moitié avec la petite cuillère pour retirer les graines et faire de la place pour la farce. Laver et sécher les feuilles de menthe,

puis les couper en lanières fines (sauf 2, qui serviront pour la décoration). Dans le bol, mettre la feta, la menthe et l'huile. Écraser le tout avec la fourchette, pour bien mélanger. Remplir les demi-courgettes avec ce mélange et bien tasser avec la petite cuillère. Poser les demi-courgettes dans le plat à four (ou sur la plaque ou la grille, avec du papier d'aluminium) et faire cuire au four 30 minutes. Quand c'est prêt, poser une demi-courgette farcie sur chaque assiette, décorer avec 1 feuille de menthe et apporter à table.

Mille-feuilles de chèvre et concombre aux raisins secs

Une entrée savoureuse, rafraîchissante et originale.

Le temps que ça prendra

20 minutes

Le matériel nécessaire

- 1 grande cuillère
- 1 petit bol
- 1 couteau
- 1 épluche-légumes

En option :

- 1 presse-agrumes

La liste des courses

- 1/2 **concombre** (sauf si c'est un petit concombre : dans ce cas, le garder en entier)
- 1/2 **citron**
- 3 grandes cuillerées d'**huile d'olive**
- 2 crottins de **Chavignol** un peu secs (ou une autre sorte de fromage de chèvre ; il en faut de 100 à 120 grammes)
- 1 poignée de **raisins secs**
- **sel** et **poivre**

Le mode d'emploi

Presser le demi-citron pour obtenir l'équivalent de 1 grande cuillerée de jus et le verser dans le bol. À défaut de presse-agrumes, le presser à la main. Retirer les pépins, s'il y en a. Verser l'huile dans le bol. Ajouter 1 pincée de sel, 1 pincée de poivre et mélanger. Couper les 2 extrémités du concombre. Le peler avec l'épluche-légumes et le couper en tranches d'environ 3 millimètres. Couper les crottins en tranches d'environ 3 millimètres. Sur chaque assiette, poser 2 tranches de concombre et dessus 2 tranches de fromage, et ainsi de suite, en terminant chaque mille-feuille par 1 tranche de concombre. Parsemer de raisins secs. Verser la sauce au citron. C'est prêt à servir.

Salade d'endives, mimolette vieille et figues séchées

Il est possible de servir cette salade en entrée ou encore de ne pas faire d'entrée et de la servir entre le plat et le dessert.

Le temps que ça prendra

15 minutes

Le matériel nécessaire

- 1 petit couteau qui coupe bien
- 1 saladier
- 1 petite cuillère
- 1 grande cuillère
- 1 épluche légumes
- 1 verre à moutarde

La liste des courses

- 4 **endives**
- 4 **figues séchées** (ou 1 poignée de raisins secs)
- 1 petite cuillerée de **moutarde** (à l'ancienne ou ordinaire)
- 1 grande cuillerée de **vinaigre**
- 3 grandes cuillerées d'**huile**
- environ 100 grammes de **mimolette vieille** (ou un fromage de type gruyère, beaufort, comté, etc. ; 100 grammes, c'est environ de quoi remplir un verre à moutarde une fois le fromage râpé)
- **sel** et **poivre**

Le mode d'emploi

Ôter le pédoncule des figues, puis les couper en fines lamelles (si on choisit des raisins secs, les laisser tels quels). Dans le saladier, mélanger la moutarde, le vinaigre et le sel avec une cuillère. Ajouter 1 grande cuillerée d'huile, mélanger à nouveau. Le résultat doit être assez homogène. Faire la même chose avec les 2 cuillerées d'huile restantes. À la fin, mélanger avec 1 pincée de poivre. Râper la mimolette avec l'épluche-légumes pour en faire des copeaux. Couper la base des endives sur environ 2 centimètres et retirer les feuilles extérieures si elles sont

abîmées (il n'est pas nécessaire de laver les endives). Couper ce qui reste en rondelles d'environ 1 centimètre. Au moment de servir, mettre les endives, les morceaux de figue et la mimolette dans le saladier et mélanger.

Ce qui peut se faire à l'avance

On peut couper les figues et préparer la vinaigrette la veille.

Beignets de mozzarella sur roquette

C'est une façon originale et délicieuse de servir la mozzarella.

Le temps que ça prendra

15 minutes + 5 minutes de cuisson

Le matériel nécessaire

- 1 assiette
- 1 bouteille
- 1 petit bol
- 1 fourchette
- 1 petit couteau
- 1 torchon propre ou du papier absorbant (type Sopalin)
- 1 saladier
- 1 poêle antiadhésive
- 1 spatule
- 1 grande cuillère
- 1 plaque chauffante

La liste des courses

- 1 boule de **mozzarella di buffala** (au lait de bufflonne, elle a meilleur goût, ou prendre de la mozzarella ordinaire)
- 8 grandes cuillerées de **chapelure** (l'acheter déjà prête) ou 4 biscottes ou 10 gressins (ce sont des bâtonnets de pain sec italiens pour l'apéritif)
- 1 **œuf**
- 2 poignées de **roquette** (c'est une salade qui a un goût amer assez prononcé) ou d'une autre sorte de salade
- 5 grandes cuillerées d'**huile d'olive** (2 pour la cuisson et 3 pour la salade)
- 1 grande cuillerée de **vinaigre balsamique** (c'est un vinaigre très doux et un peu sucré, que l'on trouve au rayon huiles et vinaigres du supermarché)

Le mode d'emploi

Verser la chapelure sur une assiette ou écraser les biscottes ou les gressins pour en faire une poudre assez fine. Le plus simple, pour ce faire, est d'utiliser une bouteille. Casser l'œuf au-dessus du petit bol et le battre à la fourchette pour mélanger le blanc et le jaune. Couper la boule de mozzarella en 4 tranches. Laver et sécher la salade, sauf si elle est toute prête en sachet. La mettre dans le saladier.

Verser dessus 3 grandes cuillerées d'huile. Bien mélanger, pour que les feuilles en soient enrobées, puis verser le vinaigre et mélanger à nouveau. Mettre la moitié de la salade sur chaque assiette. Avec les doigts, tremper chaque tranche de mozzarella dans l'œuf, en faisant attention à ce qu'elle soit bien enrobée, puis la passer dans la chapelure, de façon qu'il y en ait partout. Laisser les 4 tranches sur l'assiette avec la chapelure. Faire chauffer la poêle à feu vif. Quand elle est chaude, y verser le reste d'huile. Pour vérifier si la poêle est chaude, passer la main au-dessus (sans la toucher, bien sûr) ou y verser 1 goutte d'eau : elle doit fumer et s'évaporer très vite. Quand l'huile est bien chaude (c'est très rapide, environ 30 secondes), y poser les tranches de mozzarella. Les faire cuire environ 1 minute de chaque côté, jusqu'à ce qu'elles soient bien dorées. Les retourner avec la spatule, avec l'aide, si nécessaire, de la grande cuillère. Poser les beignets de mozzarella sur la salade et servir.

Plats

Témoignages

L'air de rien, quand j'avais proposé à Hélène de venir manger des pâtes, je crois qu'elle s'attendait à des raviolis en boîte… **Jean-Michel, 20 ans, comédien**

Si l'on m'avait dit qu'un jour je ferais de la sole meunière, et qu'une fille aussi jolie que Julie en redemanderait, je ne l'aurais pas cru. **Thierry, 41 ans, administratif**

Comme Angélique est une fille un peu attachée aux traditions, pour l'impressionner, je lui ai dit que c'était une recette de ma grand-mère et qu'elle ne l'avait donnée qu'à moi. **Bruno, 45 ans, ingénieur**

Marion m'a avoué : franchement, ton magret est meilleur que celui de ma mère, mais si un jour tu la rencontres, il faut que tu me jures de ne pas le lui répéter. **Vincent, 30 ans, photographe**

Notre histoire avec Delphine a vraiment commencé grâce ce premier voyage des sens… **Raphaël, 25 ans, commercial**

Après le repas, Laurence était un peu émoustillée. L'effet du gingembre ou mon charme naturel ? **Benoît, 22 ans, étudiant**

Pour séduire une femme, on dit qu'il faut la faire rire. Moi, je dis qu'il faut lui faire les côtes d'agneau au yaourt et à la menthe ! **Lionel, 31 ans, plombier**

Escalopes de poulet, sauce au paprika

Ce plat s'accompagne, par exemple, de riz (voir p. 112), de courgettes confites (voir p. 122) ou d'une salade verte (voir p. 110).

Le temps que ça prendra

10 minutes de préparation la veille ou le matin
+ 15 minutes de préparation et de cuisson le soir même

Le matériel nécessaire

- 1 petit bol
- 1 grande cuillère
- 1 petite cuillère
- 1 plat ou une assiette
- 1 plaque chauffante
- 1 poêle antiadhésive
- 1 spatule
- 1 presse-agrumes
- du papier absorbant (type Sopalin)

La liste des courses

- 2 **escalopes de poulet** (les blancs)
- 1/2 **citron**
- 2 **yaourts brassés** (type goût bulgare) ; pour une version light de cette recette, prendre des yaourts à 0 % de matières grasses
- 1 petite cuillerée de **moutarde** (ordinaire ou à l'ancienne)
- 1/2 petite cuillerée de **paprika** (c'est une épice rouge en poudre)
- 10 feuilles de **coriandre** (c'est une herbe verte très parfumée) ou 6 brins de ciboulette ou 10 feuilles de cerfeuil ou 4 feuilles de menthe
- 1 grande cuillerée d'**huile**
- **sel** et **poivre**

Le mode d'emploi

La veille ou le matin, presser le demi-citron et verser le jus dans le bol. À défaut de presse-agrumes, le presser à la main. Retirer les pépins, s'il y en a. Ajouter dans le bol les yaourts, la moutarde, le paprika et mélanger l'ensemble avec la grande cuillère. Ajouter du sel et du poivre en mélangeant et en goûtant au fur et à mesure pour ne pas trop en mettre. Enlever la peau (avec les doigts), s'il y en a, sur les escalopes de poulet. Les poser dans le plat ou sur l'assiette, et verser dessus la moitié du mélange au yaourt. Les retourner pour qu'il y en ait sur les 2 faces. Mettre le plat avec le poulet ainsi que le bol qui contient le reste de sauce au yaourt au réfrigérateur en les couvrant de papier d'aluminium ou de film alimentaire. Le fait de laisser le poulet reposer dans la sauce au yaourt le rend plus moelleux et parfumé.

Le soir même, sortir le poulet et la sauce du réfrigérateur. Essuyer les escalopes. Préparer les feuilles de coriandre en les enlevant de la tige. Les rincer et les sécher. Faire chauffer la poêle à feu vif. Quand elle est chaude, y verser l'huile. Pour vérifier si la poêle est chaude, passer la main au-dessus (sans la toucher, bien sûr) ou y verser 1 goutte d'eau : elle doit fumer et s'évaporer très vite. Quand l'huile est bien chaude (c'est très rapide, environ 30 secondes), y poser les escalopes. Les cuire environ 4 minutes par côté. Elles doivent être bien dorées à l'extérieur et la viande, à l'intérieur, doit être complètement blanche. Pour vérifier la cuisson, faire une entaille dans l'escalope avec le petit couteau pour voir l'intérieur. Si ce n'est pas assez cuit, remettre sur le feu. Poser les escalopes cuites sur les assiettes. Mettre la moitié de la sauce au yaourt restante sur chaque assiette, à côté du poulet, et décorer chaque escalope de poulet avec les feuilles de coriandre (ou les autres herbes) et un peu de paprika. C'est prêt !

Coquilles Saint-Jacques au pastis

Le pastis apporte à la sauce un petit goût anisé, mais pas du tout de goût d'alcool. On trouve des coquilles Saint-Jacques fraîches d'octobre à mai, mais les surgelées peuvent faire l'affaire en toute saison.

Le temps que ça prendra

5 minutes de préparation
+ 15 minutes de cuisson

Le matériel nécessaire

- 1 saladier (pour les noix de saint-jacques surgelées)
- 1 petit couteau
- 1 plaque chauffante
- 1 casserole
- 1 poêle antiadhésive
- 1 spatule
- 1 verre à moutarde
- 1 grande cuillère
- du papier absorbant (type Sopalin)

La liste des courses

- 10 **noix de saint-jacques** sans le corail (la partie rouge). Si vous les achetez fraîches chez le poissonnier, demandez-lui de les préparer (s'il laisse le corail, enlevez-le avec un couteau) ; vous pouvez les acheter surgelées.
- 4 **poireaux**
- 50 cl de **lait** (seulement si les coquilles Saint-Jacques sont surgelées)
- 1 noix de **beurre**
- 1/2 verre à moutarde de **crème liquide** (vendue en briques ou en bouteilles en plastique, appellée aussi crème fleurette)
- 2 grandes cuillerées de **pastis**
- 1 grosse cuillerée d'**huile**
- **sel** et **poivre**

Le mode d'emploi

La veille, si on a choisi des noix de saint-jacques surgelées, les sortir du congélateur. Les mettre dans un saladier, verser le lait dessus et placer au frais.

Le soir même, sortir les noix de saint-jacques, les éponger avec du papier absorbant et les saler des 2 côtés. Enlever, en la coupant, la partie vert foncé des poireaux.

Couper l'autre extrémité. Fendre les poireaux en deux dans le sens de la longueur. Enlever la première couche de peau puis les laver à l'eau froide, pour enlever la terre, s'il y en a. Les couper en tronçons d'environ 1 centimètre. Faire fondre la noix de beurre à feu doux dans la casserole, ajouter les morceaux de poireau. Saler et poivrer. Laisser cuire 15 minutes en remuant de temps en temps. Ils vont devenir transparents et mous. Pendant ce temps, sortir les assiettes, la crème liquide et la bouteille de pastis. Cinq minutes avant la fin de cuisson des poireaux, faire chauffer la poêle à feu vif. Quand elle est chaude, y verser l'huile. Pour vérifier si la poêle est chaude, passer la main au-dessus (sans la toucher, bien sûr) ou y verser 1 goutte d'eau : elle doit fumer et s'évaporer très vite. Quand l'huile est bien chaude (environ 30 secondes), poser les noix de saint-jacques dans la poêle. Les retourner, à l'aide de la spatule, au bout de 1 minute. Elles doivent être bien dorées. Après encore 1 minute de cuisson, verser le pastis. Baisser le feu et verser la crème liquide. Saler et poivrer et laisser cuire 3 minutes en retournant encore une fois les noix en cours de cuisson. La crème doit bouillir pendant la cuisson. Elle va réduire et devenir plus épaisse. Poser les saint-jacques sur les assiettes avec la sauce et les poireaux. Servir immédiatement.

Bœuf façon Stroganov

Cette version simplifiée du bœuf Stroganov en conserve l'esprit. Il peut se servir avec des pâtes fraîches (voir p. 114) ou du riz (voir p. 112), mais ce n'est pas indispensable, car les champignons et les oignons font office de garniture.

Le temps que ça prendra

20 minutes de préparation
+ 26 minutes de cuisson

Le matériel nécessaire

- 1 couteau qui coupe bien
- 1 grande cuillère
- 1 poêle antiadhésive
- 1 plaque chauffante
- 1 petit bol
- 1 assiette
- 1 verre à moutarde

En option :

- du papier d'aluminium ou du film alimentaire

La liste des courses

- 300 grammes de **filet de bœuf**
- 1 **oignon**
- 1 boîte de **champignons de Paris** émincés d'environ 200 grammes (soit 110 grammes de champignons égouttés) ; prendre une boîte avec une tirette pour l'ouvrir sans ouvre-boîte
- 2 grandes cuillerées d'**huile**
- 2 noix de **beurre**
- 1/2 **citron**
- 1 grande cuillerée de **concentré de tomate**
- 1 petite cuillerée de **moutarde**
- 1/2 verre à moutarde de **crème liquide** (vendue en petites briques ou en bouteilles en plastique)
- **sel** et **poivre**

Le mode d'emploi

Avant que l'invitée n'arrive, peler l'oignon, en coupant et en retirant la peau sèche. Le couper en deux. Poser chaque moitié sur son côté plat et la couper en tranches d'environ 1/2 centimètre. Égoutter les champignons en ouvrant légèrement la boîte et en laissant couler le liquide dans l'évier. Mettre 1 grande cuillerée d'huile et 1 noix de beurre à fondre dans la poêle, à feu doux. Quand le beurre a fondu, ajouter les morceaux d'oignon et laisser cuire 15 minutes. Au bout de 15 minutes, mettre les champignons et laisser cuire encore 5 minutes. Pendant la cuisson, presser le demi-citron de façon à obtenir l'équivalent de 1 grande cuillerée de jus et le verser dans le bol. S'il y a des pépins, les retirer. Ajouter le concentré de tomate, la moutarde, du sel, du poivre et mélanger. Couper la viande en morceaux de la taille d'un petit doigt. Quand l'oignon et les champignons sont cuits, les retirer de la poêle et les mettre de côté sur une assiette. Pas besoin de laver la poêle.

Au moment de servir le plat, préparer le demi-verre à moutarde de crème liquide. Sortir les assiettes. Mettre le reste d'huile et de beurre à fondre, à feu moyen, dans la poêle. Quand le beurre a fondu, ajouter les morceaux de bœuf et faire cuire environ 2 minutes : ils doivent être un peu grillés à l'extérieur. Verser ensuite les oignons et les champignons avec le mélange citron-tomate-moutarde et laisser cuire 2 minutes. Verser la crème et laisser cuire encore 2 minutes. Verser la moitié de la préparation dans chaque assiette et servir.

Crevettes au lait de coco et au curry

Un plat très léger aux goûts exotiques. L'idéal est de le servir avec du riz basmati (voir p. 112)

Le temps que ça prendra

15 minutes de préparation
+ 7 minutes de cuisson

Le matériel nécessaire

- 1 petit bol
- du papier absorbant (style Sopalin)
- 1 grande cuillère
- 1 poêle antiadhésive ou 1 casserole
- 1 plaque chauffante
- 1 verre à moutarde
- 1 petite cuillère
- 1 presse-agrumes

En option :

- 1 saladier
- 1 ouvre-boîte, si le lait de coco est en conserve

La liste des courses

- environ 300 grammes de grosses **crevettes roses** déjà cuites (ça fait entre 16 et 20 crevettes) ; même avec des crevettes surgelées, le résultat sera très satisfaisant
- 1/2 **citron** (si possible un citron vert, sinon un citron jaune)
- 1/2 verre à moutarde de **lait de coco** (se trouve au rayon des produits exotiques du supermarché, en petites briques ou en conserve, ou dans les épiceries asiatiques)
- 1 petite cuillerée de **curry** en poudre (c'est un mélange d'épices indien très parfumé qui se trouve avec les autres épices et condiments)
- environ 15 feuilles de **coriandre** (c'est une herbe verte très parfumée) ou 10 brins de ciboulette ou 15 feuilles de cerfeuil

Le mode d'emploi

La veille, si les crevettes sont surgelées, les sortir du congélateur et les mettre dans un saladier au réfrigérateur. Sinon, lire sur l'emballage les instructions pour les décongeler rapidement le soir même.

Le soir même, décortiquer délicatement les crevettes avec les doigts, en enlevant la tête et la queue et en retirant la carapace. Presser le demi-citron et verser le jus dans le bol. À défaut de presse-agrumes, le presser à la main. Garder l'équivalent de 1 grande cuillerée de jus. Ajouter le lait de coco et le curry et mélanger. Préparer les feuilles de coriandre en les enlevant de la tige. Les rincer et les sécher.

Verser la sauce dans la poêle ou la casserole. Mettre à chauffer à feu vif. Quand elle bout (ça fait des grosses bulles), baisser le feu à feu moyen et verser les crevettes. Laisser cuire environ 6 minutes. La sauce doit faire des petits bouillons. Sortir les assiettes. Répartir la moitié des crevettes sur chaque assiette, napper de sauce et décorer de feuilles de coriandre.

Ce qui peut se préparer à l'avance

On peut préparer la sauce la veille et décortiquer les crevettes (sauf si elles sont surgelées). Conserver le tout au réfrigérateur.

Saumon à l'unilatérale et vinaigrette d'orange

La cuisson à l'unilatérale est simple (on ne cuit le saumon que d'un côté) et délicieuse : le saumon est à la fois croustillant et moelleux. La vinaigrette d'orange est légère et parfumée. Servir ce plat avec du riz (voir p. 112) ou des courgettes confites (voir p. 122).

Le temps que ça prendra

10 minutes de préparation
\+ 10 minutes de cuisson

Le matériel nécessaire

- 1 torchon propre ou du papier absorbant (style Sopalin)
- 1 couteau
- 1 épluche-légumes
- 1 petit bol
- 1 plaque chauffante
- 1 grande cuillère
- 1 poêle antiadhésive
- 1 spatule

En option :

- 1 presse-agrumes
- 1 paire de ciseaux

La liste des courses

- 2 **filets de saumon** d'environ 150 grammes chacun, sans la peau. Acheter le saumon chez un poissonnier ou au rayon à la coupe du supermarché : on peut ainsi demander que l'on enlève la peau des filets, car c'est une opération assez délicate. La meilleure qualité de saumon, c'est le label rouge : il est plus cher, mais ça vaut le coup.
- 10 brins de **ciboulette** (ou 3 grandes cuillerées de ciboulette surgelée, qui est déjà coupée)
- 1 **orange**
- 1 grande cuillerée de **vinaigre balsamique** (c'est un vinaigre très doux et un peu sucré que l'on trouve au rayon huiles et vinaigres du supermarché)
- 3 grandes cuillerées d'**huile d'olive** (1 pour la sauce et 2 pour la cuisson)
- 1 pincée de **sel**

Le mode d'emploi

Laver et essuyer la ciboulette. Couper les brins en tronçons d'environ 3 millimètres avec le couteau ou des ciseaux. Bien laver l'orange à l'eau froide et l'essuyer. Avec l'épluche-légumes, retirer 3 longs zestes. Les couper en fines lanières d'environ 1 millimètre de large. Couper l'orange en deux. Presser une demi-orange et verser le jus dans le bol. À défaut de presse-agrumes, la presser à la main. Retirer les pépins, s'il y en a. Ajouter le vinaigre balsamique, l'huile et le sel. Mélanger. Sortir les assiettes. S'il y a une fenêtre dans la cuisine, l'ouvrir, et s'il y a une porte, la fermer, car le saumon sent assez fort en cuisant. Faire chauffer la poêle à feu vif. Quand elle est chaude, y verser l'huile. Pour vérifier si la poêle est chaude, passer la main au-dessus (sans la toucher, bien sûr) ou y verser 1 goutte d'eau : elle doit fumer et s'évaporer très vite. Quand l'huile est bien chaude (c'est très rapide, environ 30 secondes), y poser les filets de saumon, le côté où il y avait la peau (le côté plat) contre la poêle. Laisser cuire de 8 à 10 minutes. Au bout de 2 minutes, baisser le feu à feu moyen. Le côté du saumon qui est contre la poêle va devenir très croustillant, alors que la surface va rester presque crue. Pour savoir si le saumon est assez cuit, toucher sa surface avec le doigt : tant qu'elle est froide, ce n'est pas assez cuit ; dès que ça devient bien tiède, c'est bon. Poser les filets de saumon dans les assiettes avec la spatule, disposer dessus des lanières de peau d'orange et la ciboulette. Servir avec la vinaigrette.

Saumon en papillote au gingembre

La cuisson en papillote rend le saumon très moelleux, avec peu de matières grasses. Du riz (voir p. 112), une fondue de poireaux (voir p. 120) ou des pommes de terre (voir p. 116) iront bien avec ce plat.

Le temps que ça prendra

15 minutes de préparation
\+ 10 minutes de cuisson

Le matériel nécessaire

- 1 four
- 1 petit bol
- 1 couteau
- 1 grande cuillère
- 1 petite cuillère
- 1 mètre de papier d'aluminium
- 1 torchon propre ou du papier absorbant (style Sopalin)

En option :

- 1 presse-agrumes

La liste des courses

- 2 **filets de saumon** d'environ 150 grammes chacun, sans la peau. Acheter le saumon chez un poissonnier ou au rayon à la coupe du supermarché : on peut ainsi demander que l'on enlève la peau des filets, car c'est une opération assez délicate. La meilleure qualité de saumon est le label rouge : il est vraiment plus cher, mais ça en vaut la peine.
- 1/2 **citron** (si possible du citron vert, mais du citron jaune fera l'affaire)
- 1 grande cuillerée d'**huile d'olive**
- 2 petites cuillerées de **gingembre** en poudre (il se trouve avec les autres épices et condiments)
- 2 petites cuillerées de **sauce soja** (c'est une sauce asiatique, très salée, que l'on trouve au rayon des produits exotiques du supermarché ou dans les épiceries asiatiques)
- 10 feuilles de **coriandre** (c'est une herbe verte très parfumée) ou 6 brins de ciboulette ou 10 feuilles de cerfeuil

Le mode d'emploi

Sortir du four la plaque ou la grille sur laquelle seront posées les papillotes pour la cuisson. Mettre le four à chauffer à 240 degrés (thermostat 8). Il faut compter environ 20 minutes pour qu'un four électrique soit chaud et 10 minutes pour un four à gaz (certains fours ont un voyant qui l'indique). Presser le demi-citron et verser le jus dans le bol. Garder l'équivalent de 1 grande cuillerée de jus. Ajouter l'huile, le gingembre et la sauce soja puis mélanger. Préparer les feuilles de coriandre en les enlevant de la tige. Les laver et les sécher. Déchirer le papier d'aluminium de façon à former 2 morceaux de 50 centimètres de long. Verser environ un quart de la sauce bien au milieu du papier puis poser le saumon dessus. Verser la même quantité de sauce sur le saumon et poser 4 feuilles de coriandre dessus. Refermer le papier d'aluminium en repliant les bords plusieurs fois, de façon que la papillote soit bien hermétique (c'est très important pour garder les saveurs à l'intérieur). Préparer la seconde papillote de la même façon. Poser les 2 papillotes sur la plaque ou la grille et la mettre dans le four. Laisser cuire 10 minutes. Sortir les papillotes du four. Les poser sur des assiettes. Les percer avec un couteau, poser 1 feuille de coriandre fraîche dans chaque papillote.

Ce qui peut se préparer à l'avance

Le soir même, préparer les papillotes avant que l'invitée arrive. Il n'y aura plus qu'à les passer au four.

Magret de canard, sauce au miel à l'orange

Un plat salé-sucré qui peut s'accompagner de pâtes fraîches (voir p. 114) ou d'une poêlée de champignons (voir p. 118).

Le temps que ça prendra

15 minutes de préparation
+ 18 minutes de cuisson

Le matériel nécessaire

- 1 petit bol
- 1 casserole
- 1 grande cuillère
- 1 couteau
- 1 plaque chauffante avec au moins 2 feux
- 1 poêle antiadhésive
- du papier d'aluminium

En option :

- 1 presse-agrumes
- 1 four
- du film alimentaire

La liste des courses

- 1 **magret de canard** (sous vide au supermarché ou frais chez un volailler)
- 1 **orange** + 1/2 orange pour la décoration
- 2 grandes cuillerées de **miel**
- 2 grandes cuillerées de **vinaigre**
- **sel** et **poivre**

Le mode d'emploi

Presser l'orange et verser le jus dans le bol. À défaut de presse-agrumes, la presser à la main. Retirer les pépins, s'il y en a. Ajouter le miel, le vinaigre, du sel et du poivre, mélanger. Verser cette sauce dans la casserole. Poser le magret avec la peau vers le haut. Avec le couteau, entailler la peau en traçant un quadrillage. Les entailles doivent faire environ 3 millimètres de profondeur pour que la graisse s'écoule bien à la cuisson. Si la cuisine a une fenêtre, l'ouvrir, et si elle a une porte, la fermer, car le magret dégage de la fumée en cuisant. Faire chauffer la poêle à feu vif. Pour vérifier si la poêle est chaude, passer la main au-dessus ou y verser 1 goutte d'eau : elle doit fumer et s'évaporer très vite. Quand la poêle est bien chaude, y poser le magret, côté peau contre la poêle. Saler et poivrer le magret côté chair. La cuisson, de ce côté, va prendre environ 10 minutes. Au bout de 3 minutes, baisser le feu à feu moyen. À ce moment, faire chauffer la sauce. Elle doit faire de petits bouillons en cuisant et va devenir sirupeuse. Le magret va perdre beaucoup de graisse. La vider au fur et à mesure dans l'évier. Au bout des 10 minutes, baisser le feu sous la sauce pour la garder au chaud. Retourner le magret et le cuire encore 5 minutes. Ensuite, le laisser reposer 3 minutes sur une assiette, en le recouvrant de papier d'aluminium, pour que la chair se détende et qu'il soit plus moelleux. Couper, éventuellement, des tranches d'orange pour la décoration. Couper le magret en tranches d'environ 3 millimètres. Poser la moitié des tranches sur chaque assiette, napper de sauce et servir.

Ce qui peut se préparer à l'avance

La veille, on peut préparer la sauce et la faire cuire. La garder au réfrigérateur dans un bol couvert de papier d'aluminium ou de film alimentaire. Il n'y aura plus qu'à la réchauffer au dernier moment. Le soir même, avant l'arrivée de l'invitée, on peut faire cuire le magret et le poser dans un plat allant au four, le couvrir de papier d'aluminium et laisser cuire 7 minutes à 200 degrés (thermostat 7).

Grillades de porc à l'indonésienne

Ce plat rappelle les brochettes de porc au saté dont on peut se régaler dans les restaurants indonésiens. Le beurre de cacahuètes donne à ce plat un goût original. Pour l'accompagner, le mieux, c'est le riz basmati (voir p. 112).

Le temps que ça prendra

15 minutes de préparation
+ 10 minutes de cuisson

Le matériel nécessaire

- 1 casserole
- 1 verre à moutarde
- 1 grande cuillère
- 1 bouteille
- 1 couteau affûté
- 1 plaque chauffante avec au moins 2 feux
- 1 poêle antiadhésive
- 1 fourchette

En option :

- 1 presse-agrumes

La liste des courses

- 2 **grillades de porc** d'un poids total de 250 à 300 grammes (la grillade est un morceau de porc assez maigre et fin)
- 1/2 **citron**
- 1/2 verre à moutarde de **lait de coco** (au rayon des produits exotiques du supermarché, en petites briques ou en conserve, ou dans les épiceries asiatiques)
- 1 grande cuillerée de **sauce soja** (sauce asiatique, très salée, qui se trouve au rayon des produits exotiques du super-marché ou dans les épiceries asiatiques)
- 1 poignée de **cacahuètes**
- 2 grandes cuillerées d'**huile**
- 1 grande cuillerée de **beurre de cacahuètes** (au rayon des confitures ou des produits étrangers du supermarché)
- **sel** et **poivre**

Le mode d'emploi

Presser le demi-citron au-dessus de la casserole. À défaut de presse-agrumes, le presser à la main. Retirer les pépins, s'il y en a. Ajouter le lait de coco, le beurre de cacahuètes et la sauce soja et mélanger le tout. Écraser les cacahuètes en roulant une bouteille dessus. Couper chaque grillade en quatre dans le sens de la longueur. Saler et poivrer les morceaux de viande. Faire chauffer la poêle à feu vif. Quand elle est chaude, y verser l'huile. Pour vérifier si la poêle est chaude, passer la main au-dessus (sans la toucher, bien sûr) ou y verser 1 goutte d'eau : elle doit fumer et s'évaporer très vite. Quand l'huile est bien chaude (c'est très rapide, environ 30 secondes), y poser les morceaux de grillade. Au bout de 1 minute, les retourner avec la fourchette et laisser cuire encore 1 minute. Ensuite, baisser à feu moyen et laisser cuire 4 minutes. Retourner les morceaux de grillade et poursuivre la cuisson 4 minutes. Pendant ce temps, mettre la sauce à chauffer à feu doux (elle ne doit pas faire de bouillons) environ 3 minutes. Quand les grillades sont cuites, les poser sur des assiettes, les arroser de sauce, les parsemer de cacahuètes écrasées et servir.

Filet mignon de porc au roquefort

La cuisson lente dans le vin blanc rend le filet mignon bien tendre et moelleux. La sauce au roquefort en relève le goût et se marie très bien avec des pâtes (voir p. 114) ou des pommes de terre (voir p. 116).

Le temps que ça prendra

5 minutes de préparation
+ 50 minutes de cuisson

Le matériel nécessaire

- 1 verre à moutarde
- 1 grande casserole
- 1 plaque chauffante
- 1 grande cuillère
- 1 fourchette
- 1 couteau affûté

En option :

- 1 poêle antiadhésive

La liste des courses

- 1 **filet mignon de porc** (chez le boucher ou déjà emballé au supermarché)
- environ 80 grammes de **roquefort** ou de fromage bleu (estimer la quantité par rapport à celle qui est indiquée sur l'emballage)
- 1 verre à moutarde de **vin blanc sec** (prendre un vin pas cher, car c'est pour la cuisson)
- 3 grandes cuillerées d'**huile**
- 1/2 verre à moutarde de **crème liquide** (vendue en petites briques ou en bouteilles en plastique)

Le mode d'emploi

Verser le vin blanc dans le verre à moutarde. Si le filet mignon est trop grand pour tenir entier dans la casserole, le couper en deux. Pour l'opération suivante, si vous avez une poêle antiadhésive, utilisez-la, sinon, faites cuire le filet mignon directement dans la casserole. Faire chauffer le récipient à feu vif. Quand il est chaud, y verser l'huile. Pour vérifier si le récipient est chaud, passer la main au-dessus (sans le toucher, bien sûr) ou y verser 1 goutte d'eau : elle doit fumer et s'évaporer très vite. Quand l'huile est bien chaude (c'est très rapide, environ 30 secondes), y poser le filet mignon. Le faire dorer sur toutes les faces. Ça prend environ 5 minutes. Pour le retourner, utiliser une grande cuillère et une fourchette. Si on le fait dorer dans la casserole, ça peut accrocher un peu, ce n'est pas grave. Baisser à feu moyen (si le filet mignon était dans la poêle, le mettre dans la casserole), verser le vin blanc et laisser cuire 40 minutes. Pendant ce temps, mesurer la crème, casser le fromage en petits morceaux avec la fourchette et sortir les assiettes. Au bout des 40 minutes, retirer la viande de la casserole et la poser sur une assiette. Augmenter le feu, verser la crème et le fromage dans la casserole et continuer la cuisson à feu vif. Couper la viande en tranches d'environ 1 centimètre et les répartir sur les assiettes. Quand la sauce est prête, au bout de 3 à 5 minutes (le fromage doit être complètement fondu et le mélange homogène), la verser sur la viande. C'est prêt à être servi.

Ce qui peut se préparer à l'avance

Le soir même, avant l'arrivée de l'invitée, faire dorer la viande.

Filets de sole meunière

C'est un plat à la fois simple et raffiné. On peut accompagner les filets de sole de pommes de terre à l'eau (voir p. 116), de riz (voir p. 112) ou d'une fondue de poireaux (voir p. 120).

Le temps que ça prendra

10 minutes de préparation
+ 7 minutes de cuisson

Le matériel nécessaire

- 1 couteau
- 1 petit bol
- 1 grande cuillère
- 1 assiette
- 1 plaque chauffante
- 1 poêle antiadhésive
- 1 spatule
- 1 torchon propre ou du papier absorbant (type Sopalin)

En option :

- 1 presse-agrumes
- 1 paire de ciseaux pour couper les herbes

La liste des courses

- 4 **filets de sole** (les faire préparer par le poissonnier ou les acheter tout prêts au supermarché)
- 1 **citron**
- 5 brins de **persil**
- 4 grandes cuillerées de **farine**
- 2 noix de **beurre**
- **sel** et **poivre**

Le mode d'emploi

Bien laver le citron à l'eau froide et l'essuyer avec un torchon ou un papier absorbant. Le couper en deux. Presser un demi-citron et verser le jus dans le bol. À défaut de presse-agrumes, le presser à la main. Retirer les pépins, s'il y en a.

Garder l'équivalent de 2 grandes cuillerées de jus. Couper l'autre demi-citron en tranches fines. Laver et sécher le persil, puis le couper en fines lanières. Verser la farine sur une assiette. Y poser les filets de sole, de façon à les recouvrir d'une fine pellicule. Les saler et les poivrer sur les 2 faces. Sortir les assiettes. Faire chauffer la poêle à feu vif. Quand elle est chaude, y poser 1 noix de beurre. Pour vérifier si la poêle est chaude, passer la main au-dessus (sans la toucher, bien sûr) ou y verser 1 goutte d'eau : elle doit fumer et s'évaporer très vite. Quand le beurre a fondu et qu'il commence à grésiller, poser les filets de sole. Les cuire de 2 à 3 minutes, puis les retourner à l'aide de la spatule et cuire encore de 2 à 3 minutes. Ils doivent être bien dorés. Poser les filets de sole sur les assiettes. Mettre la seconde noix de beurre dans la poêle chaude. Verser le jus de citron sur les filets. Dès que le beurre a fondu, le verser sur les filets de sole. Répartir les herbes et les tranches de citron sur le poisson et servir.

Pâtes au citron et au parmesan

Le citron donne à ce plat de pâtes une fraîcheur inhabituelle.

Le temps que ça prendra

15 minutes de préparation + le temps de cuisson indiqué sur l'emballage des pâtes

Le matériel nécessaire

- 1 épluche-légumes
- 1 bol pour servir le parmesan
- 1 torchon propre ou du papier absorbant (type Sopalin)
- 1 couteau
- 1 petit bol pour le jus de citron
- 2 casseroles : 1 grande et 1 petite
- 1 verre à moutarde
- 1 plaque chauffante avec au moins 2 feux
- 1 fourchette
- 1 passoire (sinon, utiliser 1 assiette ou 1 couvercle un peu plus grand que la casserole pour vider l'eau chaude : les tenir avec un torchon et faire attention à ne pas se brûler les mains)
- 1 grande cuillère

En option :

- 1 presse-agrumes

La liste des courses

- environ 160 grammes de **pâtes** sèches : fusilli, penne ou spaghetti (c'est-à-dire environ un tiers d'un paquet de 500 grammes)
- environ 30 grammes de **parmesan,** soit : 1/2 verre à moutarde de parmesan entier râpé à l'épluche-légume ou 1/3 de verre à moutarde de parmesan déjà râpé
- 1 **citron**
- 1/2 verre à moutarde de **crème fraiche** liquide (vendue en petites briques ou en bouteilles en plastique, elle s'appelle aussi crème fleurette)
- 1 petite cuillerée de **sel** pour l'eau de cuisson des pâtes

Le mode d'emploi

Si le parmesan est entier, le râper avec l'épluche-légume pour former des copeaux. Mettre le parmesan dans un bol pour le servir sur la table. Bien laver le citron à

l'eau froide et l'essuyer avec un torchon ou un papier absorbant. Avec l'épluche-légumes, retirer 3 longs zestes. Les couper en fines lanières d'environ 1 millimètre de large. Couper le citron en deux. Le presser et verser le jus dans le bol. Retirer les pépins, s'il y en a. Mettre une grande casserole d'eau à bouillir avec le sel. Quand l'eau fait de gros bouillons, y verser les pâtes. Laisser cuire le temps indiqué sur l'emballage. Cinq minutes avant la fin de la cuisson, verser la crème liquide dans la petite casserole avec les lanières de citron et mettre à chauffer à feu moyen. Quand les pâtes sont cuites (en goûter une avec une fourchette pour vérifier), les égoutter et les remettre dans la casserole. Verser dessus 2 grandes cuillerées de jus de citron et mélanger. Verser ensuite la crème chaude avec les lanières de citron et mélanger à nouveau. Servir la moitié des pâtes dans chaque assiette et apporter le parmesan sur la table, pour que chacun se serve.

Côtes d'agneau au yaourt et à la menthe

Des côtes d'agneau dorées et croustillantes avec une sauce fraîche et parfumée. Vous pouvez accompagner ce plat de pommes de terre (voir p. 116), de courgettes confites (p. 122) ou de haricots verts (p. 124).

Le temps que ça prendra

15 minutes de préparation
+ 6 minutes de cuisson

Le matériel nécessaire

- 1 couteau
- 1 bol
- 1 torchon propre ou du papier absorbant (type Sopalin)
- 1 plaque chauffante
- 1 poêle antiadhésive
- 1 grande cuillère

La liste des courses

- 4 **côtes d'agneau**
- 1 **yaourt brassé** (c'est-à-dire un peu liquide, type yaourt goût bulgare) ; pour une version light de cette recette, prendre un yaourt à 0 % de matières grasses
- 1 **gousse d'ail** (si on n'a pas envie de peler et couper de l'ail, utiliser 1 grande cuillerée d'ail surgelé ou d'ail en poudre)
- 12 **feuilles de menthe** ou 12 feuilles de basilic ou 12 feuilles de coriandre ou 20 brins de ciboulette
- 2 grandes cuillerées d'**huile d'olive**
- **sel** et **poivre**

Le mode d'emploi

Peler la gousse d'ail, en coupant et en retirant la peau sèche. La couper en deux dans le sens de la longueur. Poser chaque moitié sur son côté plat et les couper en tranches fines. Recouper chaque tranche en petits morceaux. Laver et sécher les feuilles de menthe. En garder 2, pour la décoration, et couper les autres en lanières fines. Verser le yaourt dans un bol, ajouter l'ail et la menthe puis mélanger. Ajouter du sel et du poivre en mélangeant, et en goûtant au fur et à mesure

pour ne pas trop en mettre. Saler et poivrer les côtes d'agneau des 2 côtés. S'il y a une fenêtre dans la cuisine, l'ouvrir, et s'il y a une porte, la fermer, car la viande va dégager de la fumée en cuisant. C'est normal. Faire chauffer la poêle à feu vif. Quand elle est chaude, y verser l'huile. Pour vérifier si la poêle est chaude, passer la main au-dessus (sans la toucher, bien sûr) ou y verser 1 goutte d'eau : elle doit fumer et s'évaporer très vite. Quand l'huile est bien chaude (c'est très rapide, environ 30 secondes), y poser les côtes d'agneau. Les cuire environ 3 minutes par côté. Elles doivent être bien dorées et croustillantes à l'extérieur et rosées à l'intérieur (sauf si on les préfère très cuites : dans ce cas, augmenter le temps de cuisson à 5 minutes par côté). Poser 2 côtes d'agneau sur chaque assiette, verser à côté la sauce au yaourt, poser dessus les feuilles de menthe entières. C'est prêt à être servi.

Carpaccio de thon

Une variante du carpaccio, avec du thon plutôt que du bœuf. En réduisant les proportions de moitié, cela peut faire une entrée.

Le temps que ça prendra

30 minutes

Le matériel nécessaire

- 1 épluche-légumes
- 1 couteau affûté
- 1 torchon propre ou du papier absorbant (type Sopalin)
- 1 grande cuillère
- 1 verre à moutarde
- 1 petit bol

En option :

- 1 paire de ciseaux pour couper la ciboulette
- film alimentaire

La liste des courses

- 300 grammes de **filet de thon** sans peau et sans arêtes. Acheter le thon chez un poissonnier ou au rayon à la coupe du supermarché : on peut ainsi demander que l'on enlève la peau, car c'est une opération assez délicate.
- 1/2 verre à moutarde de **parmesan** entier, râpé à l'épluche-légumes (environ 30 grammes)
- 10 brins de **ciboulette**
- 3 grandes cuillerées d'**huile d'olive**
- 1 grande cuillerée de **vinaigre balsamique** (c'est un vinaigre très doux et un peu sucré que l'on trouve au rayon huiles et vinaigres du supermarché)

Le mode d'emploi

Si l'on possède un réfrigérateur équipé d'un compartiment congélateur, y laisser le poisson 30 minutes : il sera plus facile à trancher. Râper le parmesan avec l'épluche-légumes pour former des copeaux. Couper le poisson en tranches les plus fines possible. Les répartir sur les assiettes de service. Laver et sécher les brins de ciboulette, les couper en tronçons d'environ 3 millimètres avec le couteau ou

les ciseaux. Dans le bol, mélanger l'huile et le vinaigre. Verser ce mélange sur les tranches de thon. Répartir dessus la ciboulette et le parmesan. C'est prêt à être servi.

Ce qui peut se préparer à l'avance

Le soir même, avant l'arrivée de l'invitée, préparer le carpaccio et le garder au réfrigérateur en couvrant les assiettes de film alimentaire.

Salade de poulet au bleu

Une salade à l'accent américain assez copieuse pour faire un plat principal.

Le temps que ça prendra

15 minutes de préparation
+ 20 minutes de cuisson

Le matériel nécessaire

- 1 couteau
- 1 petit bol
- 1 casserole ou 1 poêle antiadhésive
- 1 plaque chauffante
- 1 grande cuillère
- du papier absorbant (type Sopalin)
- 1 saladier

En option :

- 1 presse-agrumes
- du film alimentaire
- 1 torchon propre

La liste des courses

- 2 **escalopes de poulet** (les blancs) sans la peau
- 1 poignée de **raisins** (frais ou secs suivant la saison)
- 1/2 **citron**
- 5 grandes cuillerées d'**huile**
- 2 grandes cuillerées de **vinaigre**
- 1 grande cuillerée de **Savora** (c'est une sorte de moutarde jaune assez douce et sucrée) ou 1 petite cuillerée de moutarde ordinaire
- environ 100 grammes de **fromage bleu** (fourme d'Ambert ou bleu d'Auvergne, par exemple) ; estimer la quantité par rapport à celle qui est indiquée sur l'emballage)
- 3 poignées de **salade** (on peut l'acheter toute prête en sachet)
- **sel** et **poivre**

Le mode d'emploi

Couper le citron en deux. Presser un demi-citron et verser le jus dans le bol. À défaut de presse-agrumes, le presser à la main. Retirer les pépins, s'il y en a. Mettre la casserole ou la poêle à chauffer, à feu très doux. Y verser 1 grande cuillerée d'huile. Quand l'huile est un peu chaude, y poser les escalopes de poulet et verser dessus le jus de citron. Saler et poivrer. Les faire cuire 10 minutes par côté. La chair doit devenir blanche sans brunir (si elle brunit, baisser le feu). Pendant ce temps, mélanger dans le bol le vinaigre avec la Savora et le reste d'huile. Couper le fromage en petits dés d'environ 1 centimètre de côté. Quand le poulet est cuit, le laisser tiédir, puis le couper en dés d'environ 1 centimètre de largeur. Si la salade est en sachet, ellc est déjà lavée. Sinon, la laver à l'eau froide et la sécher avec un torchon ou du papier absorbant. Dans le saladier, mélanger la salade avec la sauce. Répartir la moitié de la salade assaisonnée sur chaque assiette. Poser les raisins, les dés de fromage et les dés de poulet dessus.

Ce qui peut se préparer à l'avance

Le poulet peut se cuire la veille. Le conserver entier au réfrigérateur, dans du film alimentaire, pour qu'il ne se dessèche pas.

Pennes au gorgonzola et aux noix

Une recette de pâtes savoureuse, rapide à préparer. Le croquant des noix relève agréablement ce plat.

Le temps que ça prendra

10 minutes de préparation + le temps de cuisson indiqué sur l'emballage des pâtes

Le matériel nécessaire

- 1 couteau
- 2 casseroles : 1 grande et 1 petite
- 1 plaque chauffante avec au moins 2 feux
- 1 verre à moutarde
- 1 grande cuillère
- 1 passoire (sinon, 1 assiette ou 1 couvercle un peu plus grands que la casserole pour vider l'eau chaude : les tenir avec un torchon et faire attention à ne pas se brûler les mains)
- 1 fourchette pour goûter pendant la cuisson

La liste des courses

- environ 160 grammes de **pennes** ou autres pâtes en forme de tube (environ un tiers d'un paquet de 500 grammes). Avantage des pennes : elles sont courtes, donc faciles à manger proprement.
- 8 cerneaux de **noix** (c'est la partie comestible de la noix qui reste quand on a cassé sa coque ; on les trouve au rayon des ingrédients pour la pâtisserie du supermarché ou avec les fruits secs)
- Environ 100 grammes de **gorgonzola** (fromage bleu italien) ou autre fromage bleu français (fourme d'Ambert ou bleu d'Auvergne, par exemple) ; estimer la quantité par rapport à celle qui est indiquée sur l'emballage
- 1/2 verre à moutarde de **crème fraîche liquide** (vendue en petites briques ou en bouteilles en plastique, elle s'appelle aussi crème fleurette)
- 1 petite cuillerée de **sel** pour l'eau de cuisson des pâtes

Le mode d'emploi

Casser les cerneaux de noix en quatre avec les doigts. Couper environ un quart du gorgonzola en petits dés et les mettre de côté. Mettre une grande casserole d'eau à bouillir avec le sel. Quand l'eau fait de gros bouillons, y verser les pâtes. Les laisser cuire le temps indiqué sur l'emballage. Cinq minutes avant la fin de la cuisson, verser la crème liquide dans la petite casserole avec le reste du gorgonzola et mettre à chauffer à feu moyen. Remuer avec une cuillère pour que la sauce devienne homogène. Quand les pâtes sont cuites (en goûter une pour vérifier), les égoutter et les remettre dans la casserole. Verser dessus la crème chaude avec le gorgonzola et mélanger. Répartir les morceaux de noix et les dés de gorgonzola sur les pâtes.

Salade de mâche, pomme et magret fumé

Cette salade est assez copieuse pour constituer un plat.

Le temps que ça prendra

15 minutes de préparation
+ 5 minutes de cuisson

Le matériel nécessaire

- 1 torchon ou du papier absorbant (type Sopalin)
- 1 saladier ou 1 grand bol
- 1 petit bol
- 1 grande cuillère
- 1 petite cuillère
- 1 couteau
- 1 épluche-légumes
- 1 plaque chauffante
- 1 poêle antiadhésive
- 1 spatule ou 1 fourchette

La liste des courses

- 3 poignées de **salade de mâche** prête à l'emploi en sachet (sinon, une autre sorte de salade)
- 10 **cerneaux de noix** (c'est la partie comestible de la noix qui reste quand on a cassé sa coquille ; on les trouve au rayon des ingrédients pour la pâtisserie du supermarché ou avec les fruits secs)
- environ 100 grammes de **magret de canard fumé ou séché** tranché (on en trouve sous vide dans les supermarchés) ou 100 grammes de lardons
- 1 petite cuillerée de **moutarde**
- 1 grande cuillerée de **vinaigre**
- 3 grandes cuillerées d'**huile**
- 1/2 **pomme**
- 1 pincée de **sel**
- 1 pincée de **poivre**

Le mode d'emploi

Si la mâche est en sachet, elle est déjà lavée. Sinon, la laver à l'eau froide et la sécher avec un torchon ou du papier absorbant. Avec les doigts, retirer les petites racines blanches : c'est plus joli. Mettre la mâche dans le saladier. Casser les cerneaux de noix en deux et les poser sur la salade. Sortir les tranches de magret de canard (ou les lardons) de leur emballage. Dans le petit bol, mélanger la moutarde, le vinaigre et le sel avec la cuillère. Ajouter 1 grande cuillerée d'huile et mélanger à nouveau. Le mélange doit être assez homogène. Faire la même chose avec les 2 cuillerées d'huile restantes. À la fin, mélanger avec la pincée de poivre. Au moment de servir, couper la demi-pomme en quatre quartiers. Les peler avec l'épluche-légumes et retirer le trognon. Ensuite, couper chaque tranche en 5 ou 6 petits morceaux. Les poser sur la salade, verser la vinaigrette et mélanger. Sortir les assiettes et répartir sur chacune la moitié de la salade. Faire chauffer la poêle à feu vif. Pour vérifier si elle est chaude, passer la main au-dessus (sans la toucher, bien sûr) ou y verser 1 goutte d'eau : elle doit fumer et s'évaporer très vite. Y poser les tranches de magret de canard (ou les lardons) et les faire cuire, en les retournant une fois avec la spatule ou la fourchette, jusqu'à ce que le gras soit bien doré. Ça doit prendre de 3 à 4 minutes (c'est un peu plus long pour les lardons). Répartir la moitié sur chaque assiette de salade. C'est prêt à être servi.

Ce qui peut se préparer à l'avance

La vinaigrette peut se préparer la veille.

Poulet en croûte de parmesan

Le poulet pané est doré et croustillant, le parmesan relève son goût. Ce plat peut se servir avec une salade verte, des courgettes confites (voir p. 122) ou des haricots verts (voir p. 124).

Le temps que ça prendra

25 minutes de préparation
+ 6 minutes de cuisson

Le matériel nécessaire

- 1 petit bol
- 2 assiettes
- 1 fourchette
- 1 couteau
- 1 verre à moutarde
- 1 grande cuillère
- 1 casserole
- 1 poêle antiadhésive
- 1 spatule
- 1 plaque chauffante

La liste des courses

- 2 **escalopes de poulet** (les blancs)
- 1-2 verres à moutarde de **parmesan râpé** (ça fait environ 50 grammes ; on en trouve en sachets au rayon des fromages préemballés du supermarché)
- 1-2 verres à moutarde de **chapelure** (vous pouvez l'acheter déjà prête à l'emploi) ou 4 biscottes
- 1 **œuf**
- 1/2 **citron**
- 1/2 verre à moutarde de **ketchup**
- 1 grande cuillerée de **miel**
- 3 grandes cuillerées de **vinaigre balsamique** (c'est un vinaigre très doux et un peu sucré que l'on trouve au rayon huiles et vinaigres du supermarché)
- 2 grandes cuillerées d'**huile d'olive**
- **sel** et **poivre**

Le mode d'emploi

Verser la chapelure dans le bol. Ajouter le parmesan râpé et bien mélanger. Étaler ce mélange sur une assiette. Casser l'œuf au-dessus du bol et le battre à la fourchette pour mélanger le blanc et le jaune. Enlever la peau (avec les doigts), s'il y en a, sur les escalopes de poulet. Les couper en quatre dans le sens de la longueur. Saler et poivrer. Couper le demi-citron en deux. Avec les doigts, tremper chaque tranche de poulet dans l'œuf, en faisant attention à ce qu'elles en soient bien enrobées, puis les passer dans la chapelure de façon qu'il y en ait partout. Les poser sur une assiette. Verser le ketchup, le miel et le vinaigre balsamique dans une casserole, mélanger et mettre à chauffer à feu doux. Faire chauffer la poêle à feu moyen. Quand elle est chaude, y verser l'huile. Pour vérifier si la poêle est chaude, passer la main au-dessus (sans la toucher, bien sûr) ou y verser 1 goutte d'eau : elle doit fumer et s'évaporer assez vite. Quand l'huile est chaude (c'est très rapide, environ 30 secondes), y poser les tranches de poulet. Faire cuire environ 3 minutes par côté, jusqu'à ce qu'elles soient bien dorées. Les retourner délicatement avec la spatule et la grande cuillère. Poser 4 tranches de poulet sur chaque assiette avec un quartier de citron, verser la sauce chaude à côté et servir immédiatement.

Garnitures

Témoignages

Aurélie m'a appelé le prince de la vinaigrette, le roi de la salade, rien que ça… **Laurent, 55 ans, chef d'entreprise**

Des pâtes, des pâtes… Oui, mais cette fois-ci, elles n'ont pas collé. C'est quand même plus classe. **François, 32 ans, éleveur de chiens**

C'est en rougissant qu'Emmanuelle m'a déclaré : « Et moi qui te prenais pour un mec qui ne sait rien faire de ses dix doigts… » **Pascal, 19 ans, étudiant**

Cécile
a été tellement
surprise de me voir effi-
cace en cuisine que, pour
une fois, elle ne s'est pas
moqué de mon côté tête en
l'air. **Jean-Christophe,
22 ans, vendeur**

Avec la fondue
de poireaux, même
moi, je me suis épaté !
**Arnaud, 26 ans,
agent immobilier**

La salade

Vous pouvez acheter des salades toutes prêtes en sachet. C'est très pratique, car elles n'ont pas besoin d'être lavées. On trouve de plus en plus de variétés : jeunes pousses, mesclun, cœur de laitue, roquette... La quantité à prévoir est de 60 à 100 grammes pour 2 personnes, environ 2 grosses poignées. Si vous achetez une salade entière, il va falloir la préparer. D'abord, détacher les feuilles avec un couteau et jeter les feuilles abîmées. Ensuite, laver à l'eau froide les feuilles que vous allez garder, en faisant bien attention d'enlever toute la terre. Sécher les feuilles, soit avec un torchon propre, soit avec du papier absorbant (type Sopalin). Si vous avez une essoreuse à salade (on ne sait jamais !), évidemment, vous l'utilisez. Déchirer les feuilles avec les mains pour en faire des morceaux d'une taille telle qu'ils n'auront pas besoin d'être recoupés pour être mangés. Si vous préparez la salade la veille, gardez-la, en morceaux, dans un sac en plastique, dans le réfrigérateur.

La vinaigrette

Ingrédients

- 1 petite cuillerée de **moutarde** forte de Dijon
- 1 grande cuillerée de **vinaigre** de vin rouge
- 3 grandes cuillerées d'**huile** (type tournesol ou arachide...)
- 1 pincée de **sel**
- 1 pincée de **poivre**

Une recette de base

Dans un petit bol, ou directement dans le saladier, mélanger la moutarde, le vinaigre et le sel avec une cuillère. Ajouter 1 grosse cuillerée d'huile, mélanger à nouveau. Le mélange doit être assez homogène. Faire la même chose avec les 2 cuillerées d'huile restantes. Mélanger ensuite avec la pincée de poivre (si vous mettez le poivre avant, il va perdre son goût, à cause du vinaigre).

Pour changer un peu
Utilisez de l'huile d'olive, de l'huile de noix, etc. Ces huiles ont un goût assez fort : goûtez-les avant, pour voir si ça vous plaît. Vous pouvez utiliser du vinaigre balsamique (c'est un vinaigre très doux et un peu sucré, que l'on trouve au rayon huiles et vinaigres du supermarché) ou du vinaigre de xérès, du vinaigre de cidre, du vinaigre à la framboise, etc. La moutarde de Dijon peut être remplacée par une moutarde à l'ancienne, avec des grains, ou une moutarde aromatisée, à l'estragon par exemple.

Version simplifiée
Cette vinaigrette est à réaliser au dernier moment, quand vous allez servir la salade. Il faut simplement de l'huile et du vinaigre. Mettre les feuilles dans le saladier. Verser dessus 3 grandes cuillerées d'huile. Bien mélanger, pour que les feuilles en soient enduites, puis verser 1 grande cuillerée de vinaigre, et mélanger à nouveau. À l'italienne, utiliser de l'huile d'olive et du vinaigre balsamique.

Sauce salade très allégée
Remplacer l'huile par du yaourt brassé à 0 % de matières grasses et le vinaigre par du jus de citron.

Au moment de servir
Si vous préparez la vinaigrette à l'avance, l'huile et le vinaigre vont sans doute se séparer : c'est normal, il suffit de remuer à nouveau. Mélanger la vinaigrette avec les feuilles de salade au dernier moment, sinon elles vont ramollir. Ne pas trop remplir le saladier, de façon à éviter que les feuilles ne tombent à côté.

Le riz

Le matériel nécessaire

- 1 casserole
- 1 plaque chauffante
- 1 plat de service
- 1 passoire (sinon, utiliser 1 assiette ou 1 couvercle un peu plus grand que la casserole pour vider l'eau chaude : les tenir avec un torchon et faire attention à ne pas se brûler les mains).
- 1 fourchette pour goûter pendant la cuisson

La liste des courses

- **riz** : environ 50 grammes pour 2 personnes en garniture, soit 1/2 verre à moutarde. Il existe des riz à cuisson rapide en sachets, très faciles à utiliser. Pour faire plus sophistiqué, choisir un riz comme le riz basmati, qui est assez parfumé et dont les grains ont une jolie forme allongée.
- 1 grande cuillerée de **sel** pour l'eau de cuisson

En option :

- 1 noisette de **beurre**

Le mode d'emploi

Pour la cuisson du riz, le mieux est de suivre le mode d'emploi indiqué sur l'emballage : chaque sorte de riz a un temps de cuisson différent. Penser à goûter le riz vers la fin de la cuisson : s'il n'est pas assez cuit, la prolonger. Après l'avoir égoutté et mis dans le plat de service, vous pouvez ajouter 1 noisette de beurre, qui va le rendre plus moelleux (mais aussi plus riche).

Ce qui peut se préparer à l'avance

Le soir même, avant l'arrivée de l'invitée, cuire le riz et l'égoutter, sans mettre la noisette de beurre. Quelques minutes avant de servir, verser 1 grosse cuillerée d'eau dans la casserole avec le riz et réchauffer à feu doux, en ajoutant la noisette de beurre et en remuant, pour éviter que le riz ne colle. Pour vérifier si c'est assez chaud, le plus simple est d'y mettre le doigt.

Les pâtes

Le matériel nécessaire

- 1 grande casserole
- 1 fourchette pour goûter pendant la cuisson
- 1 plaque chauffante
- 1 passoire (sinon, utiliser 1 assiette ou 1 couvercle un peu plus grands que la casserole pour vider l'eau chaude : les tenir avec un torchon et faire attention à ne pas se brûler les mains).

La liste des courses

- **pâtes sèches** : environ 100 grammes pour 2 personnes en garniture (soit un cinquième d'un paquet de 500 grammes), ou 160 grammes pour 2 personnes pour un plat principal (c'est-à-dire environ un tiers du paquet)
- **pâtes fraîches** : environ 200 grammes pour 2 personnes en garniture, ou 300 grammes pour 2 personnes pour un plat principal
- 1 grande cuillerée de **sel** pour l'eau de cuisson

Le mode d'emploi

Pour la cuisson des pâtes, le mieux est de suivre le mode d'emploi indiqué sur l'emballage. C'est important de les faire cuire dans beaucoup d'eau : utiliser une plus grande casserole. Il faut attendre que l'eau fasse de gros bouillons avant d'y verser les pâtes. Les pâtes fraîches sont pratiques, car elles cuisent très rapidement (de 2 à 4 minutes). On les trouve, en général, au rayon des produits frais du supermarché, avec la charcuterie. Penser à goûter les pâtes, vers la fin de la cuisson : si elles ne sont pas assez cuites, la prolonger. Il est préférable de ne pas préparer les pâtes à l'avance, car elles deviendraient collantes.

Les pommes de terre à l'eau

C'est une des façons les plus simples de préparer les pommes de terre.

Le temps que ça prendra

20 à 30 minutes de cuisson

Le matériel nécessaire

- 1 casserole
- 1 plaque chauffante
- 1 couteau pour piquer les pommes de terre et voir si elles sont cuites
- 1 passoire pour égoutter les pommes de terre ou 1 grande cuillère pour les sortir de la casserole

La liste des courses

- **pommes de terre** : environ 500 grammes pour 2 personnes. Choisir des petites pommes de terre (comme les rattes ou les amandines, par exemple) : elles sont délicieuses et, comme leur peau est très fine, on n'a pas besoin de les peler
- 1 grande cuillerée de **sel** pour l'eau de cuisson

En option :

- du **beurre** sur la table

Le mode d'emploi

Laver les pommes de terre à l'eau froide, les mettre dans la casserole et la remplir d'eau de façon qu'elles soient bien recouvertes. Mettre le sel dans l'eau. Faire chauffer la casserole à feu vif, jusqu'à ce que l'eau commence à bouillir. À partir du moment où l'eau bout, surveiller l'heure. Au bout de 15 minutes, piquer une pomme de terre avec un couteau. Si le couteau pénètre facilement dans la pomme de terre, c'est qu'elles sont cuites. Sinon, recommencer l'opération 5 minutes plus tard, et ainsi de suite jusqu'à ce qu'elles aient la bonne consistance. Ça ne devrait pas prendre plus de 20 minutes. Le temps varie en fonction de la grosseur des pommes de terre. Quand les pommes de terre sont cuites, les égoutter dans une passoire ou les retirer de la casserole avec une cuillère et les servir bien

chaudes. Vous pouvez mettre du beurre sur la table, car c'est délicieux d'en faire fondre directement sur les pommes de terre. Si elles accompagnent un plat en sauce, ce n'est pas indispensable.

Ce qui peut se préparer à l'avance

Le soir même, avant l'arrivée de l'invitée, faire cuire les pommes de terre et les égoutter. Au moment de les servir, les réchauffer doucement dans la casserole avec 1 grande cuillerée d'eau, pour qu'elles ne se dessèchent pas.

Champignons de Paris poêlés

Ces champignons accompagnent aussi bien une viande qu'une volaille ou un poisson. La cuisson en deux temps permet de les cuire rapidement, en conservant un maximum de goût.

Le temps que ça prendra

5 minutes de préparation
+ 10 minutes de cuisson

Le matériel nécessaire

- 1 torchon propre ou du papier absorbant (type Sopalin)
- 1 petit couteau
- 1 passoire
- 1 plaque chauffante
- 1 poêle antiadhésive
- 1 spatule ou 1 cuillère en bois

En option :

- 1 paire de ciseaux

La liste des courses

- 200 grammes de **champignons de Paris** (ce sont les champignons que l'on trouve le plus facilement toute l'année) ; s'ils sont en barquette, estimer le poids par rapport au poids total de celle-ci
- 10 brins de **ciboulette** (ou 10 feuilles de persil)
- 1 grande cuillerée d'**huile**
- 1 noix de **beurre** (un morceau de beurre de la taille d'une noix)
- 1/2 petite cuillerée de **sel**

Le mode d'emploi

Laver et essuyer les herbes. En garder 2 ou 3 entières pour la décoration. Ciseler les autres avec le couteau ou des ciseaux. Rincer rapidement les champignons à l'eau froide, pour enlever les saletés, sans les laisser s'imbiber d'eau. Couper le bout du pied, puis les couper en tranches d'environ 3 millimètres, verticalement, du chapeau vers le bas. Poser la passoire dans l'évier. Faire chauffer la poêle à feu moyen. Quand elle est chaude, y verser l'huile. Pour vérifier si la poêle est chaude, passer la main au-dessus (sans la toucher, bien sûr) ou y verser 1 goutte d'eau : elle doit fumer et s'évaporer assez vite. Quand l'huile est bien chaude (c'est très rapide, environ 30 secondes), y verser les champignons. Saler. Laisser cuire environ 3 minutes, en les remuant avec la spatule ou une cuillère en bois, jusqu'à ce qu'ils commencent à rendre de l'eau. Les verser dans la passoire, pour qu'ils perdent leur eau, et les laisser égoutter 5 minutes. Remettre la poêle sur le feu (pas besoin de la laver entre-temps), faire fondre la noix de beurre, à feu moyen, et y mettre les champignons. Laisser cuire 5 minutes. Parsemer avec les herbes. C'est prêt à être servi.

Ce qui peut se préparer à l'avance

Avant que l'invitée n'arrive, couper les herbes et cuire les champignons à l'huile. Les égoutter. Au moment de servir, il n'y a plus qu'à les cuire au beurre.

Fondue de poireaux

La fondue de poireaux accompagne particulièrement bien les poissons, mais aussi les viandes blanches et les volailles.

Le temps que ça prendra

5 minutes de préparation
+ 25 minutes de cuisson

Le matériel nécessaire

- 1 couteau
- 1 plaque chauffante
- 1 poêle ou 1 casserole

La liste des courses

- 4 **poireaux**
- 1 noix de **beurre** (un morceau de beurre de la taille d'une noix)
- **sel** et **poivre**

Le mode d'emploi

Couper la partie vert foncé des poireaux. Couper l'autre extrémité. Fendre les poireaux en deux dans le sens de la longueur. Enlever la première couche de peau puis bien les laver à l'eau froide, pour enlever la terre, s'il y en a. Les couper en tronçons d'environ 1 centimètre. Faire fondre la noix de beurre dans la poêle ou dans une casserole, à feu doux. Ajouter les tronçons de poireau. Saler et poivrer. Laisser cuire 15 minutes, en remuant de temps en temps. Ils vont devenir transparents et mous.

Ce qui peut se préparer à l'avance

Le soir même, avant que l'invitée n'arrive, préparer la fondue de poireaux. Il n'y aura plus qu'à la réchauffer doucement au moment de servir.

Courgettes confites

Ces courgettes, cuites doucement et longtemps, sont très moelleuses et savoureuses. Elles accompagnent aussi bien les viandes que les poissons.

Le temps que ça prendra

10 minutes de préparation
+ environ 1 heure de cuisson

Le matériel nécessaire

- 1 torchon propre ou du papier absorbant (style Sopalin)
- 1 couteau
- 1 plaque chauffante
- 1 poêle antiadhésive
- 1 spatule
- 1 grande cuillère

En option :

- du papier d'aluminium ou du film alimentaire
- 1 bol

La liste des courses

- 2 **courgettes**
- 3 grandes cuillerées d'**huile d'olive**
- 1 grande cuillerée de **vinaigre balsamique** (c'est un vinaigre très doux et un peu sucré que l'on trouve au rayon huiles et vinaigres du supermarché)
- **sel** et **poivre**

Le mode d'emploi

Rincer les courgettes à l'eau froide et les sécher avec un torchon ou du papier absorbant. Couper et jeter les 2 extrémités, puis les couper en tranches d'environ 5 millimètres. Faire chauffer la poêle à feu doux. Y verser l'huile puis les tranches de courgette. Saler et poivrer. Laisser cuire doucement environ 1 heure en remuant de temps en temps avec la spatule, pour que toutes les tranches de courgette soient cuites de la même façon. Elles vont devenir très molles. Certaines vont sans doute se défaire en cours de cuisson : c'est normal. Deux minutes avant la fin de

la cuisson, ajouter le vinaigre balsamique et mélanger. Avant de servir, goûter pour vérifier l'assaisonnement et ajouter du sel ou du poivre s'il en manque.

Ce qui peut se préparer à l'avance

On peut faire cuire les courgettes la veille, sans ajouter le vinaigre balsamique. Les conserver au réfrigérateur, dans un bol recouvert de papier d'aluminium ou de film étirable. Le soir même, les réchauffer doucement avec le vinaigre.

Haricots verts croustillants

Des haricots tendres enrobés de chapelure croustillante : un vrai régal !

Le temps que ça prendra

20 minutes de préparation
+ 17 minutes de cuisson

Le matériel nécessaire

- 1 torchon propre ou du papier absorbant (type Sopalin)
- 1 plaque chauffante
- 1 grande casserole
- 1 passoire (sinon, utiliser 1 assiette ou 1 couvercle un peu plus grands que la casserole pour vider l'eau chaude : les tenir avec un torchon et faire attention à ne pas se brûler les mains)
- 1 grande cuillère
- 1 petite cuillère

La liste des courses

- 200 grammes de **haricots verts** extrafins (2 grosses poignées) ; les haricots extrafins n'ont pas de fils et sont plus faciles à préparer
- 3 grandes cuillerées de **chapelure** (l'acheter prête à l'emploi)
- 1 noix de **beurre** (un morceau de beurre de la taille d'une noix)
- 1 petite cuillerée de **sel**

Le mode d'emploi

Laver et sécher les haricots. Avec les doigts, retirer les 2 extrémités de chaque haricot. Mettre une grande casserole d'eau à bouillir. Quand l'eau fait de gros bouillons, y verser les haricots. Laisser cuire 12 minutes. Quand c'est prêt, les égoutter. Faire chauffer la casserole à feu moyen. Pour vérifier si elle est chaude, passer la main au-dessus (sans la toucher, bien sûr) ou y verser 1 goutte d'eau : elle doit fumer et s'évaporer assez vite. Quand elle est chaude, y verser la chapelure, ajouter le beurre et les mélanger avec la grande cuillère. Quand le mélange est bien doré (environ 2 minutes), ajouter les haricots et le sel et faire cuire encore 3 minutes, en les enrobant de chapelure.

Ce qui peut se préparer à l'avance

Le soir même, avant l'arrivée de l'invitée, on peut faire cuire les haricots à l'eau et les égoutter. Au moment de servir, suivre la recette à partir de cette étape. Il faudra peut-être réchauffer les haricots dans la chapelure un peu plus longtemps pour qu'ils soient bien chauds.

Desserts

Témoignages

C'est pendant qu'elle dégustait la tarte fine aux pommes que j'ai enfin osé lui demander sa main. Elle a dit oui ! **Philippe, 28 ans, chef de produits**

Et hop, me voilà devenu le Casanova des fourneaux ! **Alain, 42 ans, ingénieur agronome**

Avec les sablés Nutella banane, on a fait un petit retour vers l'enfance, Sophie était tout attendrie. **Patrick, 25 ans, agent de police**

Un saladier,
une grande cuillère,
un couteau… et une
invitée émerveillée.
Gaspard, 34 ans,
cameraman

Franchement,
j'avais déjà bien assuré
pour l'entrée et le plat,
mais avec les croustillants
aux pommes, je crois que j'ai
fait un coup de maître.
Antonin, 33 ans,
instituteur

Croustillants de pommes aux raisins et au miel

Dans cette recette, le croustillant de la feuille de brick contraste agréablement avec le moelleux des pommes poêlées.

Le temps que ça prendra

10 minutes de préparation + environ
10 minutes de cuisson pour les pommes
+ 6 minutes de cuisson pour les croustillants

Le matériel nécessaire

- 1 couteau
- 1 épluche-légumes
- 1 plaque chauffante
- 1 poêle antiadhésive
- 1 grande cuillère
- 1 torchon propre ou du papier absorbant (style Sopalin)
- 1 spatule
- 3 assiettes

La liste des courses

- 1 **pomme**
- 2 noix de **beurre** (2 fois un morceau de beurre équivalent à une noix)
- 1 poignée de **raisins secs**
- 1 grande cuillerée de **miel**
- 2 **feuilles de brick** (ce sont de très fines feuilles de pâte que l'on trouve dans le même rayon que les pâtes toutes prêtes pour la pâtisserie, ou dans les épiceries orientales ; elles sont vendues par paquets de 10, mais se gardent assez longtemps)

En option :

- 2 grosses cuillerées de **crème fraîche** (ce n'est pas très light, mais c'est très bon !)
- 2 feuilles de **menthe** pour la décoration

Le mode d'emploi

Couper la pomme en 8 quartiers. Les peler avec l'épluche-légumes et retirer le trognon de chaque quartier. Couper chaque quartier de pomme en 5 ou 6 petits morceaux. Faire fondre 1 noix de beurre dans la poêle, à feu doux, ajouter les morceaux de pomme et les raisins secs. Laisser cuire 10 minutes puis verser le miel. Mélanger et poursuivre la cuisson 1 minute. Sortir les morceaux de pomme de la poêle avec la cuillère et les laisser refroidir sur une assiette. Laver et sécher la poêle avec un torchon ou du papier absorbant. Sortir les feuilles de brick. Elles sont séparées par des feuilles de papier pour éviter qu'elles ne se collent entre elles. En décoller une, très délicatement, car elles sont fragiles. La poser sur la deuxième assiette. Déposer au milieu de la feuille la moitié des morceaux de pomme cuits, et replier les bords de façon à former une sorte de portefeuille carré. Répéter l'opération avec la seconde feuille de brick, sur une autre assiette. Faire fondre la noix de beurre restante dans la poêle, à feu moyen, et déposer délicatement les 2 « portefeuilles » dans la poêle, du côté où la pâte est repliée en dessous. Laisser cuire 3 minutes. La pâte va devenir croustillante et dorée. Retourner doucement les « portefeuilles » avec la spatule et laisser cuire encore 2 minutes. Si le beurre chauffe trop et que les feuilles de brick noircissent, baisser le feu. Poser les croustillants sur les assiettes, les couper en deux pour former des triangles. Ajouter, éventuellement, 1 cuillerée de crème fraîche par personne et décorer avec 1 feuille de menthe. Pour manger ce dessert, il faut un couteau et une fourchette.

Ce qui peut se préparer à l'avance

On peut préparer les « portefeuilles » avant l'arrivée de l'invitée.

Clémentines caramélisées, glace vanille

Le contraste des clémentines chaudes et un peu acides et de la glace est surprenant.

Le temps que ça prendra

5 minutes de préparation
+ 10 minutes de cuisson

Le matériel nécessaire

- 1 compartiment congélateur pour conserver la glace
- 1 plaque chauffante
- 1 poêle antiadhésive
- 1 spatule
- 1 grande cuillère

La liste des courses

- 4 boules de **glace vanille**
- 3 **clémentines** (de préférence sans pépins)
- 1 noix de **beurre** (un morceau de beurre de la taille d'une noix)
- 1 grande cuillerée de **sucre**

Le mode d'emploi

Sortir la glace du congélateur pour qu'elle ramollisse un peu. Peler les clémentines et les séparer en quartiers. Faire fondre le beurre dans la poêle, à feu doux. Quand il est fondu, ajouter les quartiers de clémentine. Faire cuire 3 minutes puis les retourner délicatement avec la spatule. Poursuivre la cuisson encore 3 minutes. Les saupoudrer de sucre et faire cuire encore 2 minutes de chaque côté. Retirer la poêle du feu. Mettre la glace vanille dans des bols ou des assiettes. Poser autour les quartiers de clémentine chauds et servir immédiatement.

Sablés à la banane et au Nutella

Un vrai dessert gourmand, avec un petit goût d'enfance.

Le temps que ça prendra

10 minutes de préparation
+ 10 minutes de cuisson au four
+ 5 minutes de cuisson à la poêle

Le matériel nécessaire

- 1 petit bol
- 1 couteau
- 1 four
- 1 plaque ou 1 grille allant au four
- 1 plaque chauffante
- 1 poêle antiadhésive
- 1 spatule
- 1 grande cuillère

En option :

- 1 petite cuillère

La liste des courses

- 1 rouleau de **pâte sablée,** prête à l'emploi (c'est très pratique : la pâte, déjà étalée, est emballée dans un papier qui servira de support pour la cuisson)
- 2 grandes cuillerées de **Nutella**
- 1 **banane**
- 1 noix de **beurre** (un morceau de beurre de la taille d'une noix)

En option :

- 2 petites cuillerées de **noix de coco râpée** (au rayon des ingrédients pour la pâtisserie du supermarché)

Le mode d'emploi

Sortir le rouleau de pâte sablée du réfrigérateur pour qu'elle ramollisse et soit plus facile à étaler. Sortir aussi le Nutella. Sortir du four la plaque ou la grille sur laquelle seront posés les sablés pour la cuisson. Mettre le four à chauffer à 200 degrés (thermostat 7). Il faut compter 20 minutes pour qu'un four électrique soit chaud et 10 minutes pour un four à gaz (certains fours ont un voyant qui l'indique). Dérouler la pâte. Poser le petit bol sur la pâte, très près du bord, et appuyer fortement pour en détacher un disque. S'il ne se détache pas entièrement, le faire avec le couteau, en faisant attention de ne pas déchirer le papier. Recommencer pour la seconde tarte. Enlever la pâte en trop et laisser les 2 disques de pâte sur le papier qui a servi à l'emballer. Quand le four a atteint la bonne température, poser les sablés, avec le papier, sur la plaque ou la grille et la mettre dans le four. Laisser cuire 10 minutes. Pendant ce temps, peler la banane et la couper en rondelles de 5 millimètres environ. Si la pâte commence à noircir, baisser la température du four à 180 degrés (thermostat 6). Quand c'est prêt, sortir les sablés du four et les faire glisser sur les assiettes. Laisser refroidir. Pendant ce temps, mettre le beurre à fondre dans la poêle, à feu doux. Quand il est fondu, ajouter les tranches de banane. Faire cuire 3 minutes, puis les retourner avec la spatule et laisser cuire encore 2 minutes. Étaler 1 grosse cuillerée de Nutella sur chaque sablé puis poser les rondelles de banane chaudes dessus. Éventuellement, saupoudrer chaque sablé de 1 petite cuillerée de noix de coco en poudre : ça donne un petit côté exotique.

Ce qui peut se préparer à l'avance

Les sablés peuvent se cuire au four la veille. Les garder dans un endroit sec.

Tartes fines aux pommes

C'est une version de la tarte aux pommes, particulièrement délicieuse, qui peut se faire sans moule.

Le temps que ça prendra

15 minutes de préparation + 25 minutes de cuisson

Le matériel nécessaire

- 1 four
- 1 plaque ou 1 grille allant au four
- 1 couteau affûté
- 1 épluche-légumes
- 1 petit bol
- 1 grande cuillère
- 1 petite cuillère

La liste des courses

- 1 rouleau de **pâte feuilletée**, pur beurre, prête à l'emploi (c'est très pratique : la pâte, déjà étalée, est emballée dans un papier qui servira de support pour la cuisson)
- 1 grosse **pomme** (par exemple, une pink lady) ou 2 petites pommes (par exemple, des golden ou des reines des reinettes)
- 1 noix de **beurre** (un morceau de beurre de la taille d'une noix)
- 2 grandes cuillerées de **sucre**

En option :

- 1 petite cuillerée de **cannelle** en poudre

Le mode d'emploi

Sortir le rouleau de pâte feuilletée du réfrigérateur pour qu'elle ramollisse et soit plus facile à étaler. Sortir du four la plaque ou la grille sur laquelle seront posées les tartes pour la cuisson. Mettre le four à chauffer à 200 degrés (thermostat 7). Il faut compter 20 minutes pour qu'un four électrique soit chaud et 10 minutes pour un four à gaz (certains fours ont un voyant qui l'indique). Couper la pomme en quartiers. Les peler avec l'épluche-légumes et retirer le trognon de chaque quartier avec le couteau. Les couper en tranches les plus fines possible. Dérouler le rouleau de pâte. Poser le petit bol à l'envers sur la pâte, très près du bord, et appuyer fortement pour en détacher un disque. S'il ne se détache pas entièrement, le faire avec le couteau, en faisant attention de ne pas déchirer le papier. Recommencer pour la seconde tarte. Enlever la pâte en trop et laisser les 2 disques de pâte sur le papier qui a servi à l'emballer. Poser les tranches de pomme sur chaque tarte, en formant une rosace. Elles doivent se chevaucher légèrement. Couper la noix de beurre en petites lamelles et les répartir sur chaque tarte. Saupoudrer chaque tarte de 1 grande cuillerée de sucre. Quand le four a atteint la bonne température, poser les tartes, avec le papier, sur la plaque ou la grille et la mettre dans le four. Laisser cuire 25 minutes. Vérifier la cuisson au bout de 20 minutes. Si la pâte commence à noircir, baisser la température du four à 180 degrés (thermostat 6). Quand c'est prêt, sortir les tartes du four et les faire glisser sur les assiettes. Si vous aimez la cannelle, vous pouvez en saupoudrer les tartes. C'est prêt.

Ce qui peut se préparer à l'avance

Le soir même, préparer les tartes avant l'arrivée de l'invitée, et les mettre au four au cours du repas.

Salade d'oranges

Un dessert rafraîchissant, parfumé et très léger.

Le temps que ça prendra

15 minutes de préparation

Le matériel nécessaire

- 1 torchon propre ou du papier absorbant (type Sopalin)
- 1 épluche-légumes
- 1 couteau affûté
- 1 grande cuillère
- 1 petite cuillère

En option :

- du film alimentaire

La liste des courses

- 2 grosses **oranges** ou 3 petites oranges de table, si possible sans pépins (ce sont les oranges à manger entières, par opposition aux oranges à jus)
- 1 grande cuillerée de **sucre** (de préférence du sucre roux, mais du sucre blanc fera l'affaire)
- 1/2 petite cuillerée de **cannelle** en poudre (si vous n'aimez pas la cannelle, vous pouvez la remplacer par quelques feuilles de menthe coupées en fines lanières)
- 1 grande cuillerée d'**eau de fleur d'oranger** (on en trouve au supermarché ou dans les épiceries orientales) ou 1 grande cuillerée de rhum ou 1 grande cuillerée d'huile d'olive

Le mode d'emploi

Bien laver les oranges à l'eau froide et les essuyer. Avec l'épluche-légumes, retirer 3 longues zestes de 1 orange. Les couper en fines lanières d'environ 1 millimètre de large. Couper les 2 extrémités de chaque orange puis enlever leur peau, avec le couteau, en coupant légèrement dans la chair, de façon qu'il n'y ait plus de peau blanche autour des oranges. Elles sont pelées « à vif ». Couper chaque orange en

4 ou 5 tranches à l'horizontale (dans le sens perpendiculaire à celui des quartiers). Poser la moitié des tranches sur chaque assiette. Les saupoudrer de sucre et de cannelle. Verser l'eau de fleur d'oranger dessus et les parsemer de zestes d'orange. Laisser les assiettes au réfrigérateur au moins 2 heures pour que les parfums se mélangent bien.

Ce qui peut se préparer à l'avance

Cette salade peut se préparer la veille. La garder au réfrigérateur, couverte de film alimentaire.

Sablés aux framboises et à la crème

Un dessert à la fois joli, moelleux, croustillant et frais.

Le temps que ça prendra

5 minutes de préparation
+ 10 minutes de cuisson

Le matériel nécessaire

- 1 petit bol
- 1 couteau
- 1 four
- 1 plaque ou 1 grille allant au four
- 1 grande cuillère

La liste des courses

- 1 rouleau de **pâte sablée,** prête à l'emploi (c'est très pratique : la pâte, déjà étalée, est emballée dans un papier qui servira de support pour la cuisson).
- environ 40 **framboises** (une barquette d'environ 125 grammes)
- 4 grandes cuillerées de **crème fraîche épaisse**
- 2 grandes cuillerées de **sucre**

Le mode d'emploi

Sortir le rouleau de pâte sablée du réfrigérateur pour qu'elle ramollisse et soit plus facile à étaler. Sortir du four la plaque ou la grille sur laquelle seront posés les sablés pour la cuisson. Mettre le four à chauffer à 200 degrés (thermostat 7). Il faut compter 20 minutes pour qu'un four électrique soit chaud et 10 minutes pour un four à gaz (certains fours ont un voyant qui l'indique). Dérouler la pâte. Poser le petit bol à l'envers sur la pâte, très près du bord, et appuyer fortement pour en détacher un disque. S'il ne se détache pas entièrement, le faire avec le couteau, en faisant attention de ne pas déchirer le papier. Recommencer pour la seconde tarte. Enlever la pâte en trop et laisser les 2 disques de pâte sur le papier qui a servi à l'emballer. Quand le four a atteint la bonne température, poser les sablés, avec le papier, sur la plaque ou la grille et la mettre dans le four. Laisser cuire 10 minutes. Pendant ce temps, mélanger la crème fraîche avec le sucre dans le bol. Si la pâte commence à noircir, baisser la température du four à 180 degrés (thermostat 6). Quand c'est prêt, sortir les sablés du four et les faire glisser sur les assiettes. Laisser refroidir. Étaler la moitié de la crème sur chaque sablé puis poser la moitié des framboises dessus. C'est prêt.

Papillotes aux fraises et à la banane

La cuisson en papillote permet de conserver les saveurs des fruits tout en les rendant très moelleux.

Le temps que ça prendra

15 minutes de préparation
+ 15 minutes de cuisson

Le matériel nécessaire

- 1 four
- 1 plaque ou 1 grille allant au four
- 1 couteau
- 1 torchon propre ou du papier absorbant (type Sopalin)
- 1 grande cuillère
- 1 mètre de papier d'aluminium

La liste des courses

- 10 **fraises** (ou 20 framboises)
- 1 **banane**
- 1 noisette de **beurre** (un morceau de beurre de la taille d'une noisette)
- 2 grandes cuillerées de **sucre**

En option :

- 2 feuilles de **menthe**

Le mode d'emploi

Sortir du four la plaque ou la grille sur laquelle seront posées les papillotes pour la cuisson. Mettre le four à chauffer à 240 degrés (thermostat 8). Il faut compter environ 20 minutes pour qu'un four électrique soit chaud et 10 minutes pour un four à gaz (certains fours ont un voyant qui l'indique). Peler la banane et la couper en rondelles d'environ 5 millimètre. Laver rapidement les fraises à l'eau froide, les sécher avec un torchon ou du papier absorbant. Les couper en deux dans le sens de la hauteur. Si vous utilisez des framboises, les mettre telles quelles. Déchirer le papier d'aluminium de façon à former 2 morceaux de 50 centimètres de long.

Poser le premier sur une surface bien plate et propre, le côté mat du papier vers le haut. Poser dessus la moitié de la noisette de beurre et l'étaler délicatement avec 1 feuille de papier absorbant, en laissant une marge d'environ 4 centimètres vers les bords. Disposer les fruits sur la partie beurrée, les saupoudrer de 1 grande cuillerée de sucre. Refermer le papier d'aluminium en repliant les bords plusieurs fois, de façon que la papillote soit bien hermétique (c'est très important, pour garder les saveurs à l'intérieur). Préparer la seconde papillote de la même façon. Poser les papillotes sur la plaque et la mettre dans le four. Laisser cuire 15 minutes. Sortir délicatement les papillotes du four et poser chaque papillote sur une assiette. Ouvrir les papillotes en les perçant avec le couteau. Poser, éventuellement, 1 feuille de menthe sur les fruits et servir tout de suite.

Ce qui peut se préparer à l'avance

Le soir même, préparer les papillotes avant l'arrivée de l'invitée ; il n'y aura plus qu'à les passer au four.

Crumble de pommes et dattes à la noix de coco

Une version un peu exotique et vraiment délicieuse d'un dessert classique.

Le temps que ça prendra

30 minutes de préparation
+ 30 minutes de cuisson

Le matériel nécessaire

- 1 four
- 1 petit couteau affûté
- 1 épluche-légumes
- 1 plat pour 2 personnes allant au four
- 1 grande cuillère
- 1 bol pour préparer la pâte
- 1 verre à moutarde
- 1 torchon propre ou du papier absorbant (type Sopalin)

En option :

- du papier d'aluminium ou du film alimentaire

La liste des courses

- 1 1/2 **pomme** (par exemple, des golden)
- 8 **dattes** (dont 2 pour la décoration)
- 1/2 verre à moutarde de **noix de coco**
- 50 grammes de **beurre** (soit un cinquième d'une plaquette de 250 grammes)
- 1/2 verre à moutarde de **farine**
- 1/2 verre à moutarde de **sucre** en poudre (au rayon des ingrédients pour la pâtisserie du supermarché)

Le mode d'emploi

Mettre le four à chauffer à 180 degrés (thermostat 6). Il faut compter 20 minutes pour qu'un four électrique soit chaud et 10 minutes pour un four à gaz (certains fours ont un voyant qui l'indique). Couper les pommes en quartiers. Les peler avec le couteau économe et retirer le trognon de chaque quartier avec le couteau. Couper ensuite chaque quartier en petits morceaux. Retirer les noyaux des dattes puis les couper en deux. Disposer les pommes et 6 dattes dans le plat à four (garder

2 dattes pour la décoration). Si le plat est un peu grand par rapport à la quantité de fruits, les regrouper d'un côté du plat et laisser une partie vide. Couper le beurre en petits morceaux. Dans le bol, mettre le beurre, la farine, le sucre et la noix de coco. Malaxer avec les doigts, en écrasant bien les morceaux de beurre, jusqu'à ce que la farine, le sucre et la noix de coco soient bien absorbés. Le résultat doit être assez granuleux, il ne faut pas essayer d'obtenir une pâte lisse. Répartir ce mélange sur les fruits pour former une croûte. Quand le four a atteint la bonne température, y mettre le plat et laisser cuire environ 30 minutes. Au bout de ce temps, la croûte doit être bien dorée. Jeter un coup d'œil dans le four de temps en temps pour vérifier que ça ne brunit pas trop. Si c'est le cas, baisser la température à 150 degrés (thermostat 5) et poursuivre la cuisson. Si, au contraire, ce n'est toujours pas doré au bout de 20 minutes, augmenter la température à 210 degrés (thermostat 7). Quand c'est prêt, sortir le plat du four avec un torchon ou un gant protecteur, pour ne pas se brûler. Répartir la moitié du crumble dans chaque assiette, en essayant de garder la croûte sur le dessus. Décorer avec 1 datte et laisser refroidir 5 minutes avant de servir.

Ce qui peut se préparer à l'avance

On peut préparer le crumble la veille, sans le cuire. Dans ce cas, mélanger du jus de citron avec les fruits, pour éviter qu'ils ne s'oxydent et noircissent. Conserver le crumble au réfrigérateur, en le couvrant de papier d'aluminium ou de film étirable.

Salade de fraises au miel, au citron et à la menthe

Le miel donne une belle brillance aux fraises ; la menthe apporte une vraie fraîcheur.

Le temps que ça prendra

20 minutes

Le matériel nécessaire

- 1 saladier
- 1 torchon ou du papier absorbant (type Sopalin)
- 1 couteau
- 1 grande cuillère

En option :

- 1 presse-agrumes
- 1 paire de ciseaux pour couper la menthe

La liste des courses

- 250 grammes de **fraises**
- 1/2 **citron**
- 1 grande cuillerée de **miel liquide**
- 8 feuilles de **menthe**

Le mode d'emploi

Presser le demi-citron au-dessus du saladier. Retirer les pépins, s'il y en a. Verser le miel dans le jus de citron et mélanger. Laver rapidement les fraises à l'eau froide puis les sécher avec un torchon ou du papier absorbant. Retirer le pédoncule puis les couper en deux dans le sens de la hauteur. Les mettre dans le saladier et mélanger doucement avec la grande cuillère, de façon à les enrober de sauce. Laver et essuyer les feuilles de menthe. Garder 2 feuilles pour décorer et couper les autres

en lanières fines avec le couteau ou des ciseaux. Répartir la menthe ciselée sur la salade et disposer les 2 feuilles dessus.

Ce qui peut se préparer à l'avance

Ce dessert peut se préparer quelques heures avant l'arrivée de l'invitée. Conserver au réfrigérateur.

Petit déjeuner

Témoignages

Joanna a failli renverser les œufs à la coque dans mon lit. Franchement, je ne lui en aurais même pas voulu. **Guillaume, 20 ans, apprenti styliste**

C'est cool de traîner au lit le matin, en buvant un petit café et en se faisant des câlins. **Maurice, 23 ans, mécanicien**

Je ne sais pas si c'est ma cuisine qui a fait ronfler Fanny. En tout cas, le matin, j'ai été un vrai gentleman, je n'ai rien dit. **César, 48 ans, pompier**

J'ai
même pressé les
oranges et beurré ses
tartines. Mon petit doigt
me dit que Marie-Hélène
reviendra. **Jean, 31 ans, conseiller en communication**

Un repas
de fête, une
invitée qui reste...
Thibault, 33 ans, dessinateur

Pour
réveiller tranquillement une belle
endormie, je ne connais
rien de mieux qu'un peu
de douceur sucrée.
Édouard, 27 ans, comptable

Réussir le petit déjeuner

Votre dîner l'a convaincue de rester ? Au petit déjeuner, maintenant, de lui donner envie de revenir…

Deux cas de figure se présentent généralement :
- un petit déjeuner rapide avant d'aller travailler ;
- un petit déjeuner relax, par exemple le week-end.

Pour la version rapide

Les boissons

- Prévoyez un **jus de fruit** de bonne qualité : jus d'orange « classique », ou jus de pamplemousse, ou jus de pomme, plus originaux.
- Pour le **thé,** on trouve des sachets avec des noms qui sonnent bien (english breakfast, orange pekoe, earl grey, par exemple). Si vous êtes un adepte de la feuille de thé en vrac, pas besoin de conseils, vous vous débrouillez sûrement très bien.
- En ce qui concerne le **café,** tout dépend de l'équipement. Si vous n'avez qu'une casserole, ce sera un café instantané (type Nescafé). Si vous avez une cafetière, rien de particulier à signaler, faites comme d'habitude.
- **Chocolat** : si vous n'en avez pas, inutile d'en acheter, à moins que vous ne la sachiez inconditionnelle.
- Prévoyez du **sucre,** en poudre ou en morceaux, et éventuellement du **lait** (demi-écrémé si elle fait attention à sa ligne).

La nourriture

- Pour le **pain,** si c'est celui de la veille, il faut le garder dans un sac en plastique ou un torchon pour éviter qu'il ne sèche, et le faire griller le matin. Si vous n'avez pas de grille-pain, mettez-le sous le gril du four (surveillez pour qu'il ne brûle pas).

- Si vous vous sentez courageux, sortez acheter du pain frais ou des **viennoiseries** (croissants, brioches, pains au chocolat, par exemple), vous serez accueilli comme un héros.

- C'est bien de proposer un choix de **confitures,** du **miel**... et du **beurre.** Mettez les confitures dans leur pot d'origine, directement sur la table, avec dans chaque pot une cuillère pour se servir. Pour le beurre, présentez-le soit dans un beurrier, soit sur une petite assiette.

- Si vous voulez vraiment faire plaisir, une douceur très rapide à préparer, le **fromage blanc au miel** (voir page 155).

Petit déjeuner plus relax

C'est le cas de figure idéal : prendre tout son temps et petit-déjeuner à deux...

Les boissons

• **Jus de fruits** : soit vous l'achetez (voir petit déjeuner rapide), soit vous êtes équipé d'un presse-agrumes et vous pressez des oranges. C'est excellent et vraiment festif !

• **Thé, café, sucre, lait** : voir petit déjeuner rapide.

La nourriture

En plus du **pain,** du **beurre** et des **confitures,** pour prolonger le plaisir, vous pouvez proposer :

- des **yaourts** ou du **fromage blanc** ;
- des **fruits** ;
- du **fromage** (éviter le camembert odorant) ;
- du **jambon** ;
- des **céréales** du type muesli avec du lait (très appréciées par les filles) ;
- des **œufs** (mais là, il faut les préparer : voir recette page 156).

Fromage blanc au miel

Très simple, certes... mais si sensuel !

Le temps que ça prendra

5 minutes

Le matériel nécessaire

- 2 bols pour servir
- 1 grande cuillère

La liste des courses

- environ 250 grammes de **fromage blanc** (estimer le poids par rapport à la quantité du pot) ; pour une version light de cette recette, prendre du fromage blanc à 0 % de matières grasses
- 4 grandes cuillerées de **miel**

En option :

- 6 **cerneaux de noix** (c'est la partie comestible de la noix qui reste quand on a cassé sa coque ; on les trouve au rayon des ingrédients pour la pâtisserie du supermarché ou avec les fruits secs)

Le mode d'emploi

Répartir le fromage blanc dans les bols. Verser sur chacun 2 grandes cuillerées de miel sans mélanger. Éventuellement, casser les cerneaux de noix en quatre et les poser sur le fromage blanc, autour du miel. C'est tout. C'est prêt.

Œufs à la coque avec des mouillettes

Les mouillettes sont des petites tranches de pain beurrées qui se trempent dans le jaune de l'œuf à la coque. C'est délicieux.

Le temps que ça prendra

10 minutes

Le matériel nécessaire

- 1 couteau
- 2-4 coquetiers ou du papier d'aluminium
- 1 casserole
- 1 plaque chauffante
- 1 grande cuillère
- 1 petite cuillère

En option :

- 1 grille-pain ou un four

La liste des courses

- 2 à 4 **œufs** suivant votre appétit (plus les œufs sont frais, meilleur ils sont ; en tout cas, il ne faut pas qu'ils aient plus de 10 jours)
- du **pain en tranches** (il faut compter 4 mouillettes par œuf)
- du **beurre**
- du **sel**

Le mode d'emploi

On peut faire griller le pain. Le beurrer puis le couper en petites tranches de la taille d'un doigt. Sortir les œufs du réfrigérateur. Sortir des coquetiers pour servir les œufs, c'est le plus simple. Sinon, on peut en confectionner avec du papier d'aluminium froissé, de façon à fabriquer des petits nids qui empêcheront les œufs de rouler. Poser les coquetiers sur des assiettes. Mettre les œufs dans la casserole et la remplir d'eau, de façon que les œufs soient bien recouverts. Mettre l'eau à bouillir. Au début, des petites bulles fines vont se former. Dès qu'elles deviennent assez grosses, compter 3 minutes et retirer les œufs de l'eau avec la grande cuillère. Mettre les œufs dans les coquetiers, le côté le plus pointu vers le haut. Avec le couteau ou la petite cuillère, tapoter l'œuf à environ 1 centimètre du haut pour casser la coquille. Avec le couteau, couper le haut des œufs et poser les parties coupées à côté sur l'assiette. Pour servir, mettre toutes les mouillettes sur l'assiette autour des œufs, ou en plonger une dans chaque œuf en cassant le blanc pour arriver au jaune.

Liste des recettes par types de matériel

Vous n'avez ni plaque chauffante ni four (forcément, c'est froid !)

- Beurre de roquefort aux raisins secs 28
- Rouleaux de viande des Grisons aux figues 32
- Minitomates farcies 34
- Rillettes de thon 36
- Salade de champignons aux herbes 56
- Concombres à la crème 48
- Mille-feuilles de chèvre et concombre aux raisins secs 62
- Salade d'endives, mimolette vieille et figues séchées 64
- Carpaccio de thon 96
- La salade et la vinaigrette 110
- Salade d'oranges 138
- Salade de fraises au miel, au citron et à la menthe 146
- Fromage blanc au miel 155

Vous avez une plaque chauffante (mais pas de four)

- Ravioles poêlées 30
- Fromage de chèvre pané aux noisettes 46
- Asperges sauce fraîcheur 48
- Croustillants de chèvre aux olives 52
- Beignets de mozzarella sur roquette 66
- Escalopes de poulet, sauce au paprika 72
- Coquilles Saint-Jacques au pastis 74
- Bœuf façon Stroganov 76
- Crevettes au lait de coco et au curry 78
- Saumon à l'unilatérale et vinaigrette d'orange 80
- Magret de canard, sauce au miel à l'orange 84
- Grillades de porc à l'indonésienne 86
- Filet mignon de porc au roquefort 88

- Filets de sole meunière 90
- Pâtes au citron et au parmesan 92
- Côtes d'agneau au yaourt et à la menthe 94
- Salade au poulet et au bleu 98
- Pennes au gorgonzola et aux noix 100
- Salade de mâche, pomme et magret fumé 102
- Poulet en croûte de parmesan 104
- Le riz 112
- Les pâtes 114
- Les pommes de terre à l'eau 116
- Champignons de Paris poêlés 118
- Fondue de poireaux 120
- Courgettes confites 122
- Haricots verts croustillants 124
- Croustillants de pommes aux raisins et au miel 130
- Clémentines caramélisées, glace vanille 132

Vous avez un four (mais pas de plaque chauffante)

- Crumble de tomates au parmesan 42
- Bruschettas à la tomate 54
- Tartes fines au bleu et aux poires 58
- Courgettes farcies à la feta et à la menthe 60
- Saumon en papillote au gingembre 82
- Sablés à la banane et au Nutella 134
- Tartes fines aux pommes 136
- Sablés aux framboises et à la crème 140
- Papillotes aux fraises et à la banane 142
- Crumble de pommes et dattes à la noix de coco 144

Vous avez une plaque chauffante et un four

- Tartes fines au chèvre et aux endives 44

La genèse du livre

nicole.seeman@laposte.net

Qu'y a-t-il de plus séduisant et de plus touchant à la fois, pour une femme, que d'être invitée à dîner par un homme qui a fait lui-même la cuisine ? Telle est la question que s'est posée Nicole, lors d'un dîner en tête à tête inoubliable. La réponse, on la connaît... Nicole Seeman n'est ni grand chef ni pro de la cuisine, mais, pour sûr, une passionnée de gastronomie. Chez elle, le salon est tapissé de menus de restaurants, souvenirs de repas mémorables ou archives chinées aux puces. Depuis 15 ans, elle a pris de nombreux cours de cuisine, juste pour faire plaisir autour d'elle. Et à force d'épater ses amis, elle a eu l'idée de leur donner un coup de main. Son credo ? Il n'y a pas besoin d'être doué, très expérimenté pour être capable de mitonner des petits plats réjouissants. Elle a donc trouvé (sans peine) quelques cobayes démunis, auxquels elle a transmis ses trucs et astuces. Les recettes de ce livre ont été testées par des cuisiniers garantis cent pour cent débutants. À ce titre, que soient remerciés Jean-Luc, qui a bien voulu tout goûter, sans râler, y compris les plats qui n'étaient pas tout à fait au point, et Michel, pour les avoir testés lui-même et posé toutes ses questions de cuisinier non pratiquant (depuis, il est devenu le roi des saint-jacques au pastis).

Raphaële Vidaling, passionnée de cuisine également, signe les photographies, pour la première fois de sa vie, puisque sa spécialité est plutôt d'ordre littéraire. Dans son premier roman (*Plusieurs fois par moi,* éditions Grasset), elle avait créé le personnage de « l'hqmn », soit « l'homme qui me nourrit ». Leur collaboration était donc toute trouvée...

raphaele.vidaling@laposte.net

Conception graphique : Claire Guigal
Mise en pages : Raphaële Vidaling
Suivi éditorial : Édith Walter
Photogravure : Frédéric Bar

© Tana éditions
ISBN : 978-2-84567-176-8
Dépôt légal : janvier 2010
Imprimé en Espagne